バカにつける薬はない

池田清彦

角川新書

目次

I　国家百年の愚計

II　信用できぬ話

III　こうして人は間違える

IV　生物の深イイ話

V 老いの人生論

Ⅰ　国家百年の愚計

アホな科学政策が加速させる頭脳流出

待遇が悪くても日本のために働いてくれ

光触媒を発見し、ノーベル賞候補にも名前が挙がる藤嶋昭・東京大学特別栄誉教授が、2021年8月末に自分の育成した研究チームもろとも上海理工大学に移籍した、というニュースが大々的に報じられた。一部のネトウヨとマスコミ（特に読売新聞）は中国へ頭脳流出する科学者を「高給引き抜きによる先端技術獲得の動き」に乗せられた、日本人の風上にも置けない輩だといった調子で、バッシングしているが、先端技術の分野において未だに日本が中国より進んでいるという時代錯誤の妄想に耽っている発言で、笑止と言う他はない。

2004年に国立大学を法人化して、大学への運営費交付金を毎年1パーセントずつ減らした結果、日本の科学技術力は凋落の一途をたどり、論文数は他の先進国が軒並み増加したのに比べ、日本はほぼ横ばいである。特にインパクトのある論文数（被引用数が上位10パーセントに入る論文数）は2004年の4位から、2018年には10位に下がっている。ちなみに中国は論文数もインパクトのある論文数もアメリカを抜いて1位に躍り出ている。今や日本の科学技術力は先進国の中で、ほぼ最下位クラスなのだ。

上海理工大学と上海市政府は、藤嶋氏のチームを支援するプラットホームとして、光触媒に関連する国際的な研究所を数十億円かけて新設するという。日本は科学研究者の給与などの待遇も悪く、研究費も少ない。待遇が悪くても日本のために働いてくれという精神論を未だに振りかざす人がいることに辟易するが、グローバル化した社会では、野心のある優れた研究者が中国であれアメリカであれ、研究条件の良好なところに移るのは必然で、今のままでは、優秀な科学者の海外流出は止まらないだろう。

藤嶋氏も日本にいてはこれだけの規模の研究条件を整えてくれるところはないとわかっているので、傘下の研究者の将来をも考えて移籍に踏みきったのだろう。かつては、日本人科学者の頭脳流出先はアメリカと決まっていて、ノーベル賞を受賞した物理学者の南部陽一郎、分子生物学者の利根川進、青色発光ダイオードを発明した中村修二などが著名である。中村修二は日亜化学工業で働いていた企業内研究者の時代に青色発光ダイオードを発明して会社の業績に多大な貢献をしたが、２０００年にカリフォルニア大学の教授としてアメリカに渡った。

それに対して日亜化学工業は、２０００年に企業秘密漏洩の疑いで、ノースカロライナ州東部地区連邦地方裁判所に、中村を提訴した。結局この提訴は２００２年に棄却されたが、その間の中村の心労は大変であったという。一方、中村は日亜化学工業の提訴に対抗して、２００１年に日本で、青色発光ダイオードの特許権は自分に帰属することの確認と、それが認められない場合は譲渡の相当対価２００億円の支払いを求めて、日亜化学工業相手に裁判を起こした。発明に対して会社から貰った対価が余りにも安く、アメリカの研究者に「スレイブ中村」と皮肉られたことが訴訟を起こしたきっかけだと言われているが、企業秘密漏洩で自分を訴えた会社に腹が立っていたのだろう。

この裁判では特許権こそ会社側にあるとされたが、譲渡の対価に関しては原告の主張が通り、２００４年に東京地裁は発明の相当対価を６０４億円と認め、原告が求めた２００億円を支払うように被告に命じた。その後、東京高裁で和解が成立し、２００５年に和解金・８億４０００万円で決着した。

法律をいくら変えてもダメ

研究者に対する対価について争われたもう一つの事例はがんの特効薬として注目を浴びた、免疫チェックポイント阻害剤のニボルマブ（商品名オプジーボ）の特許をめぐるものである。この薬の開発によりノーベル生理学・医学賞を受賞した本庶佑が、小野薬品工業に対して、特許使用料の分配金262億円の支払いを求めて訴訟を起こした事件だ。この訴訟は和解が成立して、小野薬品工業が本庶佑に50億円、京都大学内に設立される「小野薬品・本庶 記念研究基金」に230億円の寄付をすることで決着した。いずれにせよ、日本の企業が有用な発明・発見をした研究者に対する金銭的な配慮に欠けることは事実であろう。

中村修二と日亜化学工業の裁判結果におびえた産業界からの要望もあったのであろう。政府は平成27年（2015年）に特許法を改正（改悪？）して、職務発明制度を企業側に有利なようにした。すなわち、「従業員が行った職務発明について、契約時においてあらかじめ使用者等に特許を受ける権利を取得させることを定めたときは、その特許を受ける権利はその発生時から使用者等に帰属する旨を規定した」という事である。

単純に言えば研究者を雇用する際に、職務発明はすべて会社に帰属するという契約をしておけば、従業員から訴えられることはなくなるという理屈だ。確かに、能力に自信がない研究者は、この契約にサインするであろうが、才能に満ち溢（あふ）れた研究者は、そんな契約を求める日本の企業は蹴（け）って、さっさと、研究条件がいい海外に行ってしまうだろう。一見企業に有利な法律に見えるけれども、長い目で見れば、優秀な人材の頭脳流出を促進するに違いない。中村修二はこの改正案を見て激怒したと伝えられるが、さもありなんと思われる。

頭脳流出を止めるには、法律をいくら変えてもダメなのだ。研究者の給料や研究費を上げ雑用に追われる時間を少なくするといった、待遇改善をすることだけが唯一の解決策なのである。2018年の大学部門の研究開発費は、日本は3・7兆円（OECD推計では2・1兆円）、アメリカ7・8兆円、中国4・3兆円、ドイツ2・6兆円、フランス1・5兆円、イギリス1・3兆円、韓国0・8兆円である。

ちなみに、2000年の大学部門の研究開発費を1としたときに、2018年のそれは、日本1・1、アメリカ2・5、ドイツ2・2、フランス1・8、イギリス2・4、韓国4・5、中国19・0である（文部科学省　科学技術・学術政策研究所、科学技術指標2022、調査資料-318、2022年8月）。日本だけがほとんど増えていないことが分かる。21世紀に入ってから、基礎研究に注ぎ込む金を諸外国に比べケチっているわけだ。もう一つ大きな問題は、総額は諸外国に比べてさほど見劣りしないのに、なぜ、インパクトのある論文の数が世界10位なのかという事だろう。金が有効に使われてなくて無駄金が多いってことだ。

イノベーションは主流から外れた研究から起こる

2004年に国立大学が民営化されてから、運営費交付金を徐々に減らしたばかりでなく、選択と集中と称して、資金を見込みがある（と勝手に決めた）研究に集中的に注ぎ込み、役に立たない（とこれまた勝手に決めた）研究には全く資金を回さなくなった。地方の国立大学では、研究者が年間に使える研究費が20万円に満たないところも出てきたという。その結果起こったことは、世界レベルでの科学力の低下であることは、データが何よりも証明している。年間20万では、そもそも研究ができない、

アメリカも選択と集中に舵（かじ）を切ったこともあったが、イノベーションを起こすためには、海のものとも山のものともつかぬ研究にも、ある程度の資金をまわす必要に気づき、資金の一部はバラマキに使っている。mRNAワクチンの実用化のための基礎技術を開発した、

ハンガリー出身の科学者カリコー・カタリンは、アメリカに渡った頃は、誰も注目しなかった研究を諦めることなく続けて、ワクチンの開発に結び付けた。途中資金が乏しくなって、窮したこともあったようだが、ビオンテック（ファイザーと共同でmRNAワクチンを開発したドイツの企業）に移ってから研究が花開き、現在はビオンテックの上級副社長であり、ノーベル賞候補の一人である。すごいイノベーションは主流から外れた研究から起こることが多く、選択と集中を強めれば強めるほど、画期的な研究成果は現れなくなる。

選択と集中の悪いところは、資金を貰うために、この研究がどんな役に立つかといった書類を山ほど書かされ、肝心の研究に回す時間が無くなることだ。実験には金が必要だが、新しいことを考えるには時間も必要なのだ。さらに日本の悪いところは、次から次に新しい改革を文部科学省（以下、文科省）から押し付けられて、その度に、膨大な書類作りをしなければならないことだ。だから、改革をやればやるほど、雑用が増えて研究時間が無くなり、科学力が下がるわけだ。

やったふりだけは上手い日本の官庁

大学改革をやればやるほど、科学力が下がることがはっきりしてきたのに、文科省はまだまだ足りないとばかり、「稼げる大学」へ外部の知恵導入とか言って、さらに改革を進めたいようだ。金にならない（と文科省が考える）基礎研究は益々干されて、長期的には日本の科学力の低下に拍車がかかるだろう。文科省もまた、「無謬性の原則（官庁や政府の政策には誤りはないという馬鹿げた論理）」に則り、選択と集中をやめることができないのだろうね。

少なくとも資金の半分でも、すべての研究者に書類など書かせずに均等にばらまけば、日本の科学力は確実に上がるのにね。そうすると、自分たちの権限が低下するので、やりたくないのでしょうね。官庁の権力の源泉は許認可権と予算の分配権なので、一律に予算を配ったのでは、権力が無くなっちゃうからね。官僚にとっては自分たちの権限が縮小される方が、国力の低下より重要なので、まあどうにもならないなあ。

日本の官庁はどこもやったふりだけは上手いので、形だけはアメリカの真似をして、博士課程を雨後の筍のように作ったけれど、受け皿（博士の就職口）を作る努力をしなかったため、博士の社会的地位と平均収入は暴落して、生涯年収は今や修士の方が高いくらいだ。ある統計によれば、学士の生涯年収は2億円、修士は2・4億円、博士は2・1億円だそうだ。優秀な研究者はとっとと日本に見切りをつけてアメリカや中国に渡っていくだろう。

頭脳流出は日本の科学技術政策の失敗だという事を認めずに、流出していく研究者をバッシングして、溜飲（りゅういん）を下げている人たちは、いずれこの付けが自分たちに回ってくることを思い知らされるに違いない。アホの極みである。

ほんとうのＳＤＧｓ

里山こそがお手本

最近、ＳＤＧｓ（Sustainable Development Goals）というコトバをよく聞く。Sustainable と Development と Goal という何となくプラスのイメージのコトバを繋げただけで、コトバの作り方からして胡散臭い気がする。大体 Sustainable であるとそこで Development は止まるし、Development を続ける限り、Sustainable にはならない。だから可能なのは、Sustainable Goal か Unsustainable Development のどちらかである。後者は長期的にはいずれ破綻を免れない。現代資本主義はまさに後者の道を突き進んでいる。

私のようにへそ曲がりでなく、好意的な人ならば、ＳＤＧｓとは Development の結果、Sustainable Goal に到達して、そこで Development はお仕舞ということだと解釈するかもしれない。それならば、分からないこともない。この文脈からすると、ＳＤＧｓのお手本は里山である。多くの自然愛好家にとっては、里山は、オオクワガタやオオムラサキに代表される生物多様性の宝庫であり、保全すべき重要な環境だと理解されているのかもしれないが、里山の環境は自然に任せて作られたものではなく、人為的に作られたものなのだ。

里山は手入れをしなければ、遷移が進んで里山ではなくなってしまう。例えば、里山の重要な要素の一つである、クヌギやコナラといった落葉広葉樹の林は関東地方では手入れをしなければ、シイ、カシといった常緑広葉樹の林に取って代わられてしまう。だから、里山の生物多様性を保全するためには、里山の手入れは不可欠だという意見は間違いというわけではないが、昔の人は里山の生物多様性を保全するために里山の手入れをしていたわけではなく、生きるために行っていたのである。結果的に里山に適応した生物たちが棲(す)み着いたに過ぎない。

里山はその地で自給自足するための先人たちの知恵の結晶であり、２５００年ほど前に稲作が日本に伝わって以来、先人たちが試行錯誤して、作り出した Sustainable Goal なのだ。里山での自給自足で最も大切なのは稲の栽培であり、これが、Sustainable であるためにはどうしたらいいかという、里山生活の要諦(ようてい)なのだ。

里山にも太陽光発電パネル

長年、主に東北地方の里山を取材してきた永幡嘉之(ながはたよしゆき)の『フォト・レポート里山危機』(岩波ブックレット)を読むと、集落の自給自足にとって、どの土地を何に利用すべきかという法則性があり、最も効率の良い法則を見つけ出し、それを守ることが Sustainable Goal だということがよく分かる。

水田はどこにでも作れるわけではなく、水を張るために水平にできる土地と、漏水しない土壌、日当たりといった条件が必要で、集落ごとの水田面積が集落の人口を決めていた。水は沢から重力を利用して水路を引いて田圃(たんぼ)に張っていたが、途中でいくつものため池を作り、渇水に備えていた。ため池には水を温めるという機能もあったろう。田圃の水は真夏には飽水状態(地表には水が溜(た)まっておらず、土中は満水状態)にして、酸素を補給し有毒ガスを抜き、稲刈り前には完全に水を抜いた。

水稲栽培が Sustainable である理由は塩害が起こりにくいことだ。灌漑(かんがい)水で農業を行う際、排水が充分でないと、水が蒸発した後、水分中のごく微量な塩分が地表面に残り、これが積もり積もって塩害を起こし、持続可能な農業を阻害する。チグリス・ユーフラテス川の灌漑水を利用して麦類の栽培を行って大繁栄した古代メソポタミア文明の崩壊の一因は塩害だと言われている。アラル海にそそぐアムダリア川とシルダリア川の灌漑水を利用した綿花栽培も塩害に悩まされているようだ。北アメリカの乾燥地帯で地下水によって栽培されているコムギやトウモロコシなども、後１００年も経てば、塩害で栽培できなくなると思う。

　里山には水田と水路とため池以外にも、自給自足に必要な様々な装置が必要で、土地の利用は計画的かつ法則的で不用な土地はなかった。生活するためにはエネルギーと住居が不可欠で、人家の周りの水田が作れない土地には薪炭林があり、薪（まき）と炭を生産していた。薪は重いので薪を採る雑木林は近くに、炭は軽いので炭を焼くための林は遠いところにあった。薪炭林とは別の人工林はクリ畑で、これは食材であると同時に、住宅を建てる際の基礎材で、建材に必要なスギやアカマツは集落に必要な量しか植えられなかったので、面積は小さかったという。

　他に必要な土地は草原である。草は農耕に欠かせない牛の冬季の食料として、夏の間に刈り取られ干し草として蓄えられた。茅葺（かやぶき）屋根に必要なススキなどは晩秋に刈り入れられ次の春まで乾燥させた。草原の面積も、集落の牛の頭数と、茅葺屋根に必要な茅の量によって決まっていた。無闇に草原を大きくするより、他の用途に使った方が効率がいいからだ。

集落の立地条件によっては他に、養蚕用のクワ畑、果樹園、茶畑などがあり、余った土地にはカブなどの野菜を植えた。自給自足で生き延びるための装置がすべてそろっていたのが里山だということが分かる。しかし、1960年代に起きたエネルギー革命の結果、薪炭林は不要になり、農耕機器の導入により農耕用の牛も不用になり、自給自足で支えられてきた里山は崩壊した。

かつての里山環境にはCO_2削減・温暖化防止という美名のもとに、太陽光発電のパネルが並んでいるところも多くなった。しかし、太陽光パネルを造ったり設置したりするためにも、あるいは使用済みになったパネルを処分するにもCO_2が排出される。薪炭林が大規模に伐採されれば、CO_2は吸収されなくなる。はたして、これらのCO_2の増加に見合うCO_2の削減が太陽光発電に期待できるのだろうか。政府は野放図に太陽光発電を進めるだけで、収支計算をしたという話は聞かない。人為的地球温暖化の防止もSDGsと同じように怪しい話が多すぎる。

人口問題を無視したお題目

さて、現在、人口に膾炙（かいしゃ）しているSDGsは17の目標と169のターゲットを掲げている。17の目標を並べてみると、次のとおりである。

1. 貧困をなくそう　2. 飢餓をゼロに　3. すべての人に健康と福祉を
4. 質の高い教育をみんなに　5. ジェンダー平等を実現しよう
6. 安全な水とトイレを世界中に　7. エネルギーをみんなにそしてクリーンに
8. 働きがいも経済成長も　9. 産業と技術革新の基盤をつくろう
10. 人や国の不平等をなくそう　11. 住み続けられるまちづくりを
12. つくる責任つかう責任　13. 気候変動に具体的な対策を
14. 海の豊かさを守ろう　15. 陸の豊かさも守ろう
16. 平和と公正をすべての人に　17. パートナーシップで目標を達成しよう

結構なお題目が並んでいるけれども、一番重要なことは書いてない。それは人口問題である。貧困をなくすのも、飢餓をゼロにするのも、安全な水とトイレを世界中に供給するのも、エネルギーをみんなに配るのも、全く反対する理由はないけれども、それには食料や水やエネルギーといったリソースが必要だ。人間や他の野生動物が利用できる食料の上限は、陸上と水界の光合成の量によって決定されており、利用できるエネルギーも、採掘可能な化石燃料と、原発を動かすためのウランの埋蔵量と、利用可能な地熱以外は、太陽の活動に依存しており、核融合といった画期的な技術が開発されない限り、上限が決まっている。

ちなみに、太陽光発電のみならず、水力発電も、風力発電も、バイオマス発電も、詰まるところは太陽エネルギーに依存していることに変わりはない。水力発電や風力発電を、太陽エネルギーを利用している発電だというと、訝（いぶか）る人もいるかもしれないが、雨が降るのは太陽エネルギーによって海洋の水が蒸発して雲になるからであり、風が吹くのも太陽が陸地と海を温める速度が違うからだ。すなわち、昼間は陸地が先に温まり、陸地の空気が上昇して、海から陸に向かって風が吹き、夜は陸地が先に冷えて、陸地の空気が下降して、陸から海に風が吹くのだ。もちろん、真水の供給量も太陽の活動に支配されている。

全世界の生物が利用できる食料とエネルギーと水の供給量が決まっているという事は、喫緊の問題はこれらのリソースを人や野生生物を含めた、全世界の生物たちにどのようにシェアするかという事になるはずだ。陸や海の豊かさを守るというお題目に反対するつもりはないけれども、人類の飢餓をゼロにするために、人類が今以上に生態系からリソースを収奪すれば、野生生物が利用できるリソースは少なくなり、陸や海の生物多様性は減少することになる。

いずれリソースの取り合いが始まる

貧困や飢餓をゼロにすることと、陸や海の豊かさを守ることはトレード・オフの関係にあるのだ。だから、世界人口を減らさない限り、「ジェンダー平等を実現しよう」といった食料生産量やエネルギー供給量とは、さしあたって独立の目標を除き、ほとんどの目標は達成できないと思う。

世界人口は現在80億に達しようとしており、暫(しばら)くは増え続けるだろう。人口を抑制しないで、貧困や飢餓をゼロにするという目標を徹底的に追求すると、まず、原生林や原野といった自然生態系が消滅して、野生動植物の生物多様性が激減し、それでも間に合わないと、結局は個人間や国家間での、リソースの取り合いが始まって、ＳＤＧｓどころの騒ぎではなくなると思う。究極の解決策はただ一つ、世界が協力して人口を減らすこと以外にない。

しかし、現在世界を牛耳っているグローバル・キャピタリズムは人口抑制を是としないため、ＳＤＧｓのような綺麗ごとのお題目を並べている裏で、世界は徐々に破滅に向かって進んでいる。私はもうすぐあの世だし、悠久の宇宙の歴史から見れば、人類の絶滅も点のような出来事に過ぎないわけだから、まあどうでもいいことには違いないけれどね。

ブルシット・ジョブに精を出すデジタル庁

嘘八百の美辞麗句

「政府は学習履歴などの個人の教育データについて、2025年頃までにデジタル化して一元化する仕組みを構築することになりました」というニュースを聞いて呆れてしまった。「こうした教育データを学校や教育機関が共有して、教育の向上につなげたい」「子供たちの個性を伸ばすことができるよう、教育の現場でデジタル化の環境を整備し、具体的な政策として進めていきたい」ということらしいが、よくもまあ、嘘八百の美辞麗句を並べるよね。

そのうち、課外活動や塾や学校外の活動もデジタル化するつもりらしい。デジタル化すると言ってもオリジナルなデータを集めるのは現場の先生なので、今でさえ忙しい教育現場は、さらに忙しくなり、教育そのものにかける時間はさらに少なくなり、教育は悲惨なことになりそうだ。現在でも、学校の先生の仕事の大半は教育の向上には全く役に立たない無駄仕事で、デジタル化はこれに拍車をかけるだろう。はっきり言って、志のある若者は政府に管理された学校の先生にはならない方がいいと思うよ。

「２０３０年頃までには、本人が閲覧できるようにして、生涯学習などに役立てたい」と、とてもいいことのように言っているけれども、余計なお世話だ。大体自分の過去の学習履歴などを参照して、将来の学習に役立てようなどという国民はまずいないだろう。こういう無駄なことに、エネルギーと金を使うので、日本はどんどんドツボに嵌(はま)っていくのである。

私が現役の高校教諭だった頃も、指導要録というのがあって（今もあるけど）、成績や出欠、その他の素行などの「指導に関する記録」を記載して、5年間（「学籍に関する記録」は20年間）保管しておく決まりがあった。私は担任をしていたので、指導要録を書かされたが、成績と出欠だけ記載して、素行や行動の記録はすべて、特記事項なしというハンコを押して済ませていた。

入学、卒業、退学、転入、転学等の、学籍に関する記録は、本人が証書類を紛失した際に、卒業や在籍を証明する証拠となるため、20年間保管することに意味はあるが、指導に関する記録などは、書いて金庫に保管してから5年間、閲覧する人はほぼ皆無なので、事細かに記載しても時間の無駄なのだ。だからこういうことにエネルギーと時間をかけるのは無駄仕事の最たるもので、児童生徒と遊んでいる方が余程有意義なのである。

個人の過去の学習履歴をデジタル化しても、本人はまず見ない。そもそも見るメリットがない。データが教育産業に流れて、金儲(かねもう)けの道具に使われるのが関の山だ。実はそのためにやっているのかもしれない。適当な名目を付けて、税金を使って、私企業の利益に奉仕するというういつものパターンになるのは火を見るより明らかだろう。そのうち個人情報が漏れて、○○さんの中学時代はお勉強もできなくて欠席が多く素行も悪かったなどという情報が、いつの間にか第三者に渡るといったことも起こりそうだ。

おそらく政府の狙いは、児童生徒の政治的傾向をデジタル化して、政府の政策に反抗的な国民のリストを作って、国民を政権の管理下に置きたいということなのだろう。とりあえずお友達企業を儲けさせて、あわよくば、独裁政権の礎を築きたいということ以外に、こんなアホなことをする理由が思いつかない。

進士正憲さんという方がツイッター（Twitter）で述べていたように、国会議員の活動実績、国会・委員会の出席状況、発言履歴、歳費、交通費の収支明細を一元管理して、公表して、国民が必要に応じて閲覧できるようなデジタル化なら大いに意義があると思うけどね。国民を統制することには熱心だが、自分たちはやりたい放題で、税金の使い道や、怠慢の記録は絶対に公表しないというのは、独裁への道だ。だんだん、現政権を支持する人々が嫌う、中国や北朝鮮の政権のやり方に近づいている。これらの人々が中国や北朝鮮が嫌いなのは、近親憎悪なのかもしれない。

スポーツが好きな人は勝手にやればよい

少し前に、スポーツ庁が、中学生の16パーセントがスポーツ嫌いという調査結果を受けて、これを半減させたいという計画を掲げているという話を聞いた時も、アホかいなと思ったけれども、スポーツ庁とかデジタル庁とかは、本当にブルシット・ジョブで成り立っているような官庁で、国民一般はこんな官庁がなくても一向に困らず、税金の無駄遣いだ。速やかに解体すれば、日本の凋落の速度は、多少は緩和されるだろう。

ブルシット・ジョブとは2018年出版のデヴィッド・グレーバーの著書の題名で、仕事をしている本人でさえ、完璧(かんぺき)に無意味で、不必要で、有害でさえあると認識しているが、組織の維持、あるいは自身の雇用を守るために、意味があるかのようにふるまわざるを得ない仕事を指す。

例えば、スポーツが好きな人は勝手にやればよくて、それに政府が介入する必要はない。スポーツ嫌いな中学生が16パーセントから8パーセントに減ったからといって経済が潤うわけでもない。スポーツで国威を発揚させて、国力の向上に役立てたいということかもしれないが、はっきり言ってこれは妄想だな。冷戦の頃、旧ソ連や東ヨーロッパでは、国を挙げてオリンピックに勝つべくステートアマを養成したが、これらの社会主義国はほとんど崩壊してしまった。国威発揚は、国力の向上という観点からは、何の役にも立たなかったブルシット・ジョブだったのだ。独裁者の自己満足みたいなものだな。

プロのスポーツは金儲けのための手段だから、それを規制する必要も補助する必要もない。アマチュアのスポーツは趣味なのだから、好きにやらせておけばいいので、税金を使って振興するのは、スポーツは素晴らしいというイデオロギーのなせる業だ。私は、自分ではスポーツはやらないし、ほとんど見ない。スポーツ振興に私の納めた税金を使わないでくれと言いたい。そういう人も多いだろう。私は、時々釣りをするが、例えば調査の結果、釣り嫌いの中学生が50パーセントいるとして、これを25パーセントに下げるために、文科省と農林水産省が協力して釣り振興のために税金を使うと決めたら、おかしいと思う人が沢山いるだろう。スポーツも釣りも、個人の趣味なのだから、スポーツだけを優遇するのは間違っている。

スポーツも釣りも多少は経済振興に貢献するとは思うけれど、スポーツや釣りが盛んになったので、経済が発展したのではなく、経済が発展したので、スポーツや釣りをする余裕ができたのである。現代社会においては、経済を発展させ、国力を伸ばしたのは紛れもなく科学技術で、国は科学技術力を高めるために何をすべきかを第一義に考えるべきなのだ。

学習履歴をデジタル化するというのは、それ自体がブルシット・ジョブの最たるものだが、児童生徒を管理して、同調圧力に従わない個性的で我が強い人間を排除して、先生や上司の言うことを良く聞いて、ブルシット・ジョブも厭（いと）わない国民を作りたいという政権の意図が見え隠れする。

先生の仕事は大半がブルシット・ジョブ

日本は、高度成長期にみんなで一律の仕事をして、安価な製品を大量生産するというやり方で、経済成長を成し遂げた。日本経済が絶頂だった１９８９年の株価時価総額の世界

1位はNTTである。以下、日本興業銀行、住友銀行、富士銀行、第一勧業銀行が第5位までで、次にやっとIBMが入っている。トヨタ自動車は11位で、50位までに日本企業が32社入っている。それが、2022年のトップ5は、アップル、マイクロソフト、サウジアラムコ、アルファベット（グーグル）、アマゾンで次がテスラ。50位以内の日本企業はトヨタ自動車がかろうじて31位に入っているのみである。いかに日本の経済力が落ちたかがよく分かる。

ちなみに、台湾セミコンダクターは10位、韓国のサムスン電子は15位である。多くの日本人は日本の科学技術力は、台湾や韓国より上だと思っているようだが、これを見ると、少なくとも半導体や電子機器では太刀打ちできなくなっているのは瞭然だ。台湾セミコンダクターの時価総額はトヨタ自動車の2・1倍、サムスン電子の時価総額は1・6倍である。1990年に一人当たりの名目GDPが世界8位だった日本は、2021年には28位に落ちた。韓国は30位、台湾は32位で、近い将来日本は追い抜かれるだろう。

経済が停滞した原因は、日本がかつての成功体験を忘れられずに、イノベーションを起こす人材を優遇せずに、安売り競争を続けたためだ。その間、世界はITに代表される新しい技術を開発して、価格が高くとも性能が飛躍的に良い製品開発に邁進していたのである。アメリカは１９９０年代になってから新興のＩＴ産業が伸びて、あっという間に日本を抜き去ってしまった。

日本には、アップルやマイクロソフトの創業者であるスティーヴ・ジョブズやビル・ゲイツのような人材が出なかったのだ。この二人は、同調圧力が強く、変わり者を冷遇する日本の教育システムでは育たなかっただろう。何度も言うように、日本の学校や官庁や会社は、ブルシット・ジョブが多すぎて、新しいアイデアを考える暇がない。先生の仕事は大半がブルシット・ジョブ。児童生徒も与えられた課題をそつなくこなすことが過大に評価されて、自ら新しいアイデアを考えることは嫌われる。イノベーションを起こす可能性のある人材を潰すことに精を出しているとしか思われない。

そこを反転させて、先生には自主研修の時間を大幅に与え、児童生徒には学習の自由を大幅に認める教育制度に変えなければ、日本の科学技術は発展せず、どんどん後進国へ滑り落ちていくのは自明だ。ああそれなのに、学習履歴のデジタル化などといった時代錯誤な政策を打ち出すとは、日本の崩壊もいよいよ秒読みに入ったのかもしれない。

右翼、左翼、保守、革新、リベラル

コトバの出自

「ネトウヨ」とか「パヨク」とかいった相手を罵倒するコトバが、ネット空間を飛び交って久しいが、こういうコトバを使っている人が、その元となっている「右翼」とか「左翼」とかのコトバをきちんと理解しているとはとても思われない。自然言語、特に政治的なそれは、使う人によってその意味やニュアンス、コトバに込められた情動などが異なるため、共通理解を求めることは不可能だが、コトバの出自くらいは知っておいて損はない。

「右翼」「左翼」は、フランス革命の直前の1789年7月9日に成立した憲法制定国民議会において、議長席から見て右側に「国王に法律拒否権付与・二院制（貴族院あり）」を主張する勢力が陣取り、左側に「国王に法律拒否権なし・一院制（貴族院なし）」を主張する勢力が陣取ったことに端を発するコトバなのだ。

従って、本来の右翼と左翼の意味は、右翼は国王や貴族の特権を擁護する勢力、左翼は国民全員の権利の平等を擁護する勢力ということになる。現在の日本では皇室を除いて、公的な階級は存在しないが、国会議員は世襲が当たり前だし、経済的格差はどんどん開き、ごく少数の大金持ちと大部分の貧乏人に二分極化しつつある。天皇制を認めるのは皇室の特権を擁護するのでもちろん右翼、世襲議員や金持ちの議員が当選しやすいような選挙制度を擁護する勢力は、インプリシットな階級を維持しようとするので右翼、地盤も看板もお金もない国民でも議員になれる可能性を持てるような制度を作ろうとする勢力は左翼ということになる。

「貧富の差の固定化」から見た両勢力

最近、立候補する時の供託金が話題になっている。日本の国会議員になるために小選挙区制で立候補するには３００万円の供託金が必要となる。一定数の得票を得なければ、供託金は没収される。貧乏人は政治家になりたくとも、おいそれとはなれない。日本の供託金はＯＥＣＤ加盟国の中でも断トツに高い。ほとんどの国は20万円以下、アメリカ合衆国、フランス、ドイツ、イタリアなどは供託金がない。供託金がある日本は右翼的、ない国は左翼的と言えるだろう。

グローバル・キャピタリズムの結果、世界的に貧富の差が拡大しつつあるが、貧富の差の固定化を容認する勢力は右翼、貧富の差の固定化を妨げる政策を掲げるのは左翼である。日本はかつて所得税の累進課税率が高く、1974年には所得税は19段階の累進性で、最高税率は75パーセント、住民税最高税率は18パーセントで、なんと合計の最高税率は93パーセントであった。それが、税率が徐々に下がり、課税段階が簡素化され、1999年には4段階、最高税率が37パーセントになった。今は最高税率が少し上がり45パーセント、住民税は一律10パーセント、合計55パーセントとなっている。

現在は4000万円以上の所得には一律45パーセントの最高税率が適用されるが、1974年には8000万円以上の所得には75パーセントの最高税率がかかったのである。高額所得者は稼いでもみんな税金に持っていかれた時代から、超高額所得者の資産がどんどん蓄積される時代に移ってきたのである。経済格差の固定化という観点からは、日本の税制は左翼的な制度から徐々に右翼的になってきたことが分かる。ちなみに消費税は、金持ちでも、貧乏人でも税率が変わらないので、収入や資産に対する負担は貧乏人の方が大きく、どちらかというと右翼的な制度だと言えるだろう。

但し、経済的な結果平等を求める左翼的な制度が行き過ぎると、かつての社会主義国のように、経済的な自由が束縛され、新しいアイデアや技術で起業して金を儲けるといった夢が持てない息苦しい社会になりかねないので、自由と結果平等のバランスをどうとるかが、政治制度の要諦となる。

日本では、嫌中国や嫌韓国を右翼、というコトバで呼ぶことが多いが、これは国家主義的な思想で、本来の右翼の語源からはミスリーディングな使い方である。また、国力（経済力、科学技術力、外交力）の低下スピードがすさまじい日本を直視できずに「日本すごい」と言って妄想に耽っている人々を右翼と呼ぶのも、こういった人々を馬鹿にしている人々を反日の左翼と呼ぶのも、右翼、左翼の語源に照らせば、完全に間違っている。

リベラルとパターナリズムの狭間で

ところで、右翼、左翼と混同されがちなコトバに、「保守」と「革新」がある。「保守」とは現在の社会制度や伝統、習慣などを極力変えない方がいいという立場で、「革新」とはより良い制度に変えて社会を変革したいとの立場である。日本では、自民党は保守政党の代表で、共産党は革新政党の代表と思われているが、例えば、憲法改定という件に関して言えば、憲法を変えたいという自民は革新で、憲法死守という共産は保守ということになる。

「保守」「革新」とは多少カテゴリーの異なる用語に「リベラル」がある。保守や革新は、一般にはイデオロギーを表す言葉と思われているようだが、実はそうではないのだ。イデオロギーは社会制度や伝統、習慣の内実にある。保守とか革新はそれを守りたいとか、変えたいとかのパトスであって、イデオロギーそのものではないのだ。「戦争放棄」というイデオロギーを持つ人は、憲法9条を守ることに関しては「保守」で、日米安全保障条約を破棄したいという点に関しては「革新」なのである。

それに対して「リベラル」は個人の自由を尊重したいという立場で、自己決定権、愚行権などを擁護するイデオロギーなのだ。だからリベラルの対義語は「保守」ではなく、「パターナリズム（弱い立場にあるものの利益を守ると称して、強い立場にあるものが干渉するのを良しとする立場）」なのである。私は、何度も公言しているように、おそらく日本で最も過激なリバタリアンで、私のイデオロギーは次のコトバで要約できる。すなわち「人々が自分の欲望を解放する自由（これを恣意性の権利と呼ぼう）は、他人の恣意性の権利を不可避に侵害しない限り、保護されねばならない。但し、恣意性の権利は能動的なものに限られる」。詳しくは拙著『正しく生きるとはどういうことか』（新潮文庫）に記してあるが、ここで重要なのは、「恣意性の権利は能動的なものに限られる」という所である。

自力で生きていけない人を除いて、独立した個人は、他人に面倒を見てもらうとか、愛してもらうとか、褒めてもらうとかの権利はないのだ。もちろん、愛して欲しいとか、褒めてもらいたいとかの思いを、口に出して言うのは自由である。これは能動的な権利だからである。しかし、誰にも貴方を愛する義務はないのだ。だからこそ、愛してもらった時の喜びは大きいのである。社会が、パターナリズムに席巻（せっけん）されると、誰かに愛してもらうのを権利だと錯覚する人が出てくる。その行き着く先はストーカーである。

もちろん、リバタリアニズムが成立するためには、個々人が使える資源が各々に確保されている必要がある。そのために社会的な制度があるのだ。従って、リバタリアンはベーシック・インカムを擁護する。リバタリアンの思想は「飢えて死ぬのも自己責任」といった新自由主義的な考えとは全く異なるイデオロギーなのだ。これ以上の話は長くなるので、興味がある人は、ぜひ私の本を読んで欲しいが、私の思想は極北の思想なので、私が理想とする社会が実現する前に、残念ながら、人類は滅びると思う。

国力回復のために必要なこと

ところで、「若い時にリベラルでない者は情熱が足りない。年取って保守的でないものは知恵が足りない」という箴言（しんげん）がチャーチルのコトバとして喧伝（けんでん）されているが、チャーチルの言葉でないとの説もあって、真偽のほどは定かでない。そもそも、リベラルと保守は先に述べたように対義語ではないのだ。私見では、チャーチルはリベラルでしかも保守だった。

現行の制度を、極端にいじると社会が混乱するので、ダマシダマシ微修正しながら、リベラルを実現したいというのが、現在の政治情勢では、おそらく最も合理的な政治的態度だと思う。今の自民党や維新を見ていると、彼らは急進的な革新・反リベラル勢力だとしか考えられない。ひと昔前の自民党は、リベラルと反リベラルが入り乱れた保守政党だった。まあ、チャーチルのコトバではないが、大人の知恵があったのである。

多くの国民も右肩上がりの経済を背景に心理的なゆとりがあり、急進的な変革を歓迎しない趣があった。ところが、日本の国力が急落して、国民の多くが精神的なゆとりをなくしている昨今、起死回生の逆転的な政策といった文言に魅せられる人が増えてきたのであろう。

国力を回復するには、教育制度を画一的なものから、もっと自由で多様性を重視するものに変えて、科学技術のイノベーションを担える人材を養成する以外にないが、その成果が表れるまでには少なくとも数十年はかかる。20年以上前から教育制度を画一的で上意下達のものに徐々に変えて、その成果が表れて国力がここまで衰退するのに20年以上かかったわけで、それを反転させる教育が成果を上げるのも、また同じくらいの年数がかかる。

しかし、かなりの国民は、憲法を変えれば、日本の国力が上がるというプロパガンダに騙(だま)されつつあるようだ。何度も言うように、国力は第一に科学技術力、第二にそれに基づいた経済力、第三に外交力、さらにこれらを基底で支える国民の知力なのだ。憲法は魔法の呪文(じゅもん)ではないのだから、文言を変えたところで、国民の自由は縛れるかもしれないが国力は上がらない。今のところ、リベラルは民主主義国の共通のイデオロギーなので、これを制限すれば、国際的に孤立して、行き着く先は、北朝鮮のような独裁・貧困国家である。さてどうしたものか。余命いくばくもない私ではなく、あと50年も生きねばならない貴方が考えて下さいね。

ウクライナ紛争の行方

なぜロシアはウクライナに攻め込んだのか

ウクライナがひどいことになっている。原発の傍で戦闘をしているというのは正気の沙汰ではない。ロシアが攻撃をしたザポリージャ原子力発電所は欧州最大の原発で、チョルノービリ（チェルノブイリ）と同程度の事故を起こせば、被害は10倍以上と言われており、ウクライナのみならず、欧州を含む近隣諸国に被害が及ぶ恐れがある。放射能で汚染された国を占領してもメリットどころかデメリットの方が大きいので、ロシアも手加減をしていたと思われるが、原発を占拠して、いざとなったら自爆させると脅しをかけて、和平交渉を有利に進めようと考えていたのかもしれない。危険な綱渡りである。

そもそもなぜロシアはウクライナに攻め込んだのか。プーチンの頭の中は覗けないので、プーチンが何を考えているのか本当の所は分からないが、おおよその推察をすることはできる。

　アメリカと並ぶ超大国であったソ連が１９９１年に崩壊して、ソ連を構成していた15の共和国はそれぞれ独立したが、社会主義から資本主義へという体制の変化に順応できずに、貧困と経済的格差が広がった。独立したアルメニアとキルギスの２０１３年の意識調査では、ソ連崩壊が有益だったと答えた人は、前者で12パーセント、後者で16パーセント、反対に有害だったと答えた人は、前者で66パーセント、後者で61パーセントであったという。ロシアに対する２０１８年の調査では、ソ連崩壊を後悔していると答えた人は、66パーセントにも及んだという。

　国民の大半は大国だった昔を懐かしんでいるわけだ。ちなみに旧ソ連の領土は２２４０万平方キロ、ロシアの領土は１７１０万平方キロである。ソ連時代のＧＤＰは経済制度が異なるため算定されていないが、生産力はアメリカに次ぐ規模であったと思われる。ソ連崩壊による混乱で、崩壊直後の１９９２年のロシアのＧＤＰは世界34位と低迷していて、欧米に対抗する国力はなかった。

　しかし、ロシアは軍事力だけは大国並みだったので、プーチンは常に自国の優位性を世界に向けて誇示したいとの誘惑に駆られているのだろうと思う。２０２１年のＧＤＰは世界11位と多少回復してきたこともあって、エネルギー大国として、ＥＵにエネルギーを供給している自国は、少なくともＥＵと対等であるべきとの、自負があったと思う。旧ソ連から独立したエストニア、ラトビア、リトアニアが２００４年にＥＵとＮＡＴＯに加盟し、さらに、ウクライナとジョージアがＮＡＴＯに加盟する動きを見せたことに、プーチンは焦りを感じたに違いない。

プーチンはおそらく、国力とは軍事力と国土の大きさだ、との19世紀的幻想に囚われており、ウクライナを占拠するか、傀儡政権を打ち立てて、ロシアの影響力を拡げるのが、かつての超大国に戻る道だと考えているのだろう。ＩＴ時代の国力にとって軍事力は一部でしかなく、国民の知力と経済力こそが国力の源泉だということを余り理解していないのかもしれない。この観点からはウクライナを武力で制圧しても、ウクライナ人民の恨みと国際的孤立を招き、得るものより失うものの方が大きいことは自明だと思う。もしかしたら、欧米へのコンプレックスで、思考が硬直し、損得勘定が上手く出来なくなっているのかしら。独裁者が呆けて、側近はイエスマンばかりという状態なのかもね。もしそうだとすれば、これは最悪だ。

紛争の遠因とプーチンの危機感

今回のロシアのウクライナ侵攻には前史がある。もともとウクライナ周辺は多民族が入り乱れて住んでおり、民族間の紛争が絶えなかった。旧ソ連時代の共和国間の国境と、居住民族が整合的でなかったのだ。国境が民族的・文化的まとまりを無視して引かれたのが紛争の遠因だ。例えば、１９９１年、旧ソ連から独立したジョージア（旧グルジア・ウクライナ南東の黒海に面した国）は、グルジア人（ジョージア人）、オセチア人、アブハズ人、ロシア人などが住む多民族国家であるが、独立直後の１９９２年に早くも西端のアブハジアで、分離独立運動が起こり、これにロシアが介入して独立運動を支援した。結局、グルジア人の大半はこの地域から追い出され、現在の住民はほぼアブハズ人で事実上の独立国になっており、ロシアはこの国を承認している。

第一次南オセチア紛争も１９９１年～１９９２年にかけて、オセチア人が多く住むジョージア東端の南オセチアをロシアに帰属させるべきか否かをめぐって起こった紛争で、独立を認めないジョージアと独立派の間で、激しい戦いが行われたが、停戦協定が成立して、この地は事実上の独立国になった。ところが、２００８年にジョージア軍が南オセチアを攻撃し（第二次南オセチア紛争）、南オセチアの独立を支援するロシア軍との間で、戦闘状態になった。この紛争は結局ロシア軍の勝利に帰し、ロシアは南オセチアを承認したが、国際的には南オセチアと前記アブハジアはジョージアの一部ということになっている。ともにオセチア人が多数を占める北オセチアはロシアに、南オセチアはジョージアに属するのが、紛争の遠因である。

第二次南オセチア紛争が起こるほんの少し前に、ジョージア（当時はグルジア）がNATO加盟を目指し、NATOも実施時期は未定としながらも、グルジアの加盟に合意した。これは、ロシアにとって相当の脅威であったと思われる。旧ソ連の共和国が次々にNATOに加入するのを座視できない、とプーチンが警戒心を強めたことは間違いない。

ウクライナも1991年にソ連崩壊の後独立した。民族は大半がウクライナ人であるが、クリミア自治共和国とセヴァストポリ市では、ロシア人の割合が、前者では60パーセント弱、後者では70パーセント強である。東部のドネツク州とルハンシク州でも40パーセント弱はロシア人が占める。

ウクライナでは独立以来、親露派と親欧米派の権力闘争が続いていたが、2014年に親露派のヤヌコーヴィチ大統領が失脚し、ロシアに亡命してから、ロシアとの仲が険悪になった。プーチンはこの政変に怒りを顕（あら）わにしたと伝えられている。プーチンが最も恐れるのは民主化の波がウクライナ経由でロシアにまで及ぶことだ。ウクライナにはロシアに住む人々の親戚（しんせき）も多い。

危機感を抱いたプーチンは、ロシア人が圧倒的に多いクリミア自治共和国とセヴァストポリ市をロシア領に併合した。さらにドネツク州とルハンシク州を、親露派の武装勢力が実効支配し、ウクライナに圧力をかけた。ロシアは2022年2月になって、ドネツク人民共和国とルガンスク（ルハンシクのロシア語読み）人民共和国の独立を承認して、ロシア軍に軍事基地の建設と使用の権利を与える協定を交わしたようで、国際的な非難にさらされている。

2014年のクリミア半島の併合に際し、国連はこれを無効にする決議を行い、賛成100、反対11、棄権58であった。しかし、決議は形式的なもので、ロシアは実質的な打撃を受けなかった。プーチンは今回の侵攻も短期間で方を付け、ウクライナを傀儡政権で固めて、暫く経てば、うやむやにできると踏んでいたのかもしれないが、ウクライナの抵抗と国際世論の反発はプーチンの予想を裏切って思いのほか強く、失敗したとほぞをかんでいる事だろう。

ロシア国民もうすうす分かっている

今回の紛争に関し、国連総会は、ロシアの即時撤退を求める非難決議を賛成141、反対5、棄権35で採択した。これはクリミア併合無効決議よりも、はるかに厳しく、ロシアは四面楚歌(しめんそか)に陥っている。まあしかし、ロシアは今さら後に引けず、プーチンが失脚しない限り、紛争は泥沼化しそうである。

プーチンの誤算は、ロシアでは紛争が起きると決まって政権の支持率が上がったので、今回もロシア国民の支持を後ろ盾に権力強化が図れる、と楽観的に考えたことにあったのだろう。さらに、EU特にドイツはエネルギー源をロシアの天然ガスと石油に相当依存しており、欧米がここまで強く反発して軍事力の援助までするとは思わなかったのかもしれない。過去の成功体験に惑わされたのだ。

ウクライナの2022年版の軍事力は世界22位。第2位のロシアとは比ぶべくもないが、旧ソ連の共和国の中では大国で、ここがロシアに押さえられると、すぐ隣のEUとしては地政学的な脅威が増すので、何としてもロシア化を避けたい思いも強いのだろう。

話し合いでは埒(らち)が明かないと考えた欧米諸国はSWIFT(国際的な決済ネットワーク)からロシアの一部銀行を除外し、さらにはロシア中央銀行の取引停止を決めた。VISA

や Mastercard もロシアでの業務を停止し、欧米は一斉にロシアに対して最高度の経済制裁を発動した。ロシアにとって、一番きついのはおそらく、米日英独等の中央銀行や大手銀行に預けられている4000億ドル（46兆円）の外貨準備に手を付けられないことで、そのうち戦費の調達にも苦労することになるだろう。

経済制裁のおかげでロシアの通貨ルーブルは暴落し、物価はどんどん上がっている。普通の民主主義国家では（まあ、日本は例外かもしれないが）、自国が始めた戦争の結果、国民の生活が苦しくなれば、反戦や厭戦運動が盛り上がり、政権は持たない。ロシアは、形式的にはともかく事実上プーチンの独裁国家なので、国民の反戦・厭戦ムードを抑えるために、法律を新しく作って、情報統制に乗り出し、反対派を弾圧し始めた。大本営発表だけが正しく、異を唱える奴は治安維持法で処罰するという太平洋戦争当時の日本と選ぶところはないが、80年前と違って、現在は情報を統制することが極めて難しい。

北朝鮮のように国民のITリテラシーが低ければそれでも何とかごまかせるかもしれないが、今のロシアはそうではない。国民に真実を覚らせないことは容易ではない。太平洋戦争当時の日本は、「欲しがりません勝つまでは」といって、勝ったらいいことがあるかのように偽って、国民に窮乏生活を強いたが、ウクライナ紛争でロシアが勝利しても経済的な見返りは望めず、勝っても国民の生活はよくならないだろう。そのことはロシア国民もうすうす分かっていると思う。紛争が長引いて、経済制裁が解けなければ、ロシア国民の不満は膨らむに違いない。

はたして、ロシア国民は「貧乏もみんな貧乏なら我慢できる」といった、太平洋戦争当時の日本国民のように、同調圧力に支配されて、プーチンの言いなりになるのだろうか。これは北朝鮮への道だなあ。それとも、プーチンを倒して紛争をやめる道を選ぶのだろうか。まともな民主主義国家ならば、プーチンの失脚は決まったようなものだけれど、ロシアはまともな国ではなさそうなのでどうなるか分からないな。日本もまともな国ではなさそうなので、他山の石にはなりそうもないけれどね。

II 信用できぬ話

温暖化阻止は美味しい商売だ

人類の尊大な夢

人類は環境を自分に都合がいいように変える夢を持ち続けてきた。おそらく、進化の結果、ほぼ裸になった時にこの欲望は芽生えたのだろう。体毛を喪失すると、寒い時期には何かを身に纏(まと)っていないと、凍えてしまう。同じころ、火を使うことも覚えたに違いない。嵐や吹雪から身を守るために、家を建て、居住空間を快適に保つ努力も惜しまなかったろう。

農耕を始めると、原野を切り拓(ひら)いて田畑を作ったり、川から水を引く工事をしたりして、穀物を沢山作る努力もしただろうが、天候を操作することは、もとより不可能であった。仏教には、善行を積んだ人が死後に行ける極楽浄土という世界があるとされるが、極楽とは暑くもなく寒くもなく、いつでも食べたいものが食べられる所だそうである。年がら年中、暑さと寒さと飢えに苦しめられていた昔の人たちの願望が込められていたのだと思う。冷暖房完備の部屋に住み、餓える心配のない現代人は、昔の人から見れば、極楽の住人だな。

科学革命以前の世界では、雨ごいの儀式をしたり、人柱を立てたりするといった、おまじない以外に、天候を左右する術を人類は持たなかった。しかし、化石燃料を手に入れ、電気を利用することを覚えた人類の中には、科学技術の力によって、雨を降らしたい、霧を晴らしたい、台風をそらしたいという、尊大な夢を描く人たちが現れ始めた。

『気象を操作したいと願った人間の歴史』（ジェイムズ・ロジャー・フレミング著、鬼澤忍訳、紀伊國屋書店）には、そんな人間たちの悲喜劇が沢山紹介されていて興味深い。日照りに悩まされることが多かった農家の願望を反映してか、雨を降らす話が一番多い。

アメリカの気象学者、ジェイムズ・ポラード・エスピーは19世紀の半ば、雨、雹、雪などは、太陽によって熱せられて上昇した湿った大気が、上空で冷やされ、水分が凝結することで生じるとの理論を提唱して、彼の理論に基づいて雨を降らせることができると説いた。彼の理論は間違ってはいなかったけれど、彼が提唱した具体的な方法はとんでもないものだった。

「アメリカ西部のロッキー山脈に沿って600ないし700マイル（約960ないし1100キロ）にわたり、7日ごとに、20マイル置きに40エーカーの土地で大量の森林を同時に燃やそうというのだ。エスピーの予測によれば、この管理されたシステムの帰結としてありそうな事態は、時計のように規則正しく、穏やかに、安定して雨が降り、それが国全体を潤し、農民や航行者に恩恵をもたらすというものである」（前掲書114ページ）。

アラル海の消滅

幸運にもエスピーの壮大な計画は棚上げされたまま実行に移されなかったが、実行に移されたなら、北アメリカの森林は破壊され、雨が降るという恩恵より、副作用により引き起こされたデメリットの方が多かったに違いない。一部の人たちは環境を改変する際にメリットのことで頭がいっぱいで、デメリットのことを考えたくないようで、実際にとんでもないことが起こった例がある。

最も顕著な例はアラル海の消滅だろう。アラル海は1960年頃までは湖沼面積約6800平方キロメートル（日本の東北地方とほぼ同じ面積）を誇る世界第4位の湖だった。天山山脈からのシルダリア川、パミール高原からのアムダリア川、二大河川の雪解け水が流れ込み、年間降雨量200ミリ未満の砂漠の中にあり、流出する河川がないにもかかわらず、塩分濃度は海水の3分の1という汽水であった。

そのために淡水産と海水産の魚種が入りまじり、漁業が盛んでサケやチョウザメをはじめとして、年間4万～5万トンの漁獲高があった。シルダリア川とアムダリア川の河口の湿地帯にはペリカンやフラミンゴなどの渡り鳥が群れていた。状況が一変したのは旧ソ連時代に、両河川を綿花栽培のための灌漑用水として利用し始めてからである。綿花の収量は上がったが、灌漑設備や灌漑水の利用法が杜撰だったため、灌漑水が両河川に戻ることはなく、1960年を境にアラル海の水位は急激に低下しはじめたのである。

アムダリア川の河口は干上がって、アラル海に水が流れ込まなくなり、塩分濃度は1980年代には海水に近づき、在来魚種はほぼ絶滅した。高濃度の塩分に耐性のあるカレイを導入することで、漁業は細々と続いたが、塩分濃度の上昇は止まらず、漁業はほぼ壊滅して、9割の漁民はこの地を離れ、いくつもの村が廃村になった。干上がった湖底から砂嵐が舞い上がり、塩分や有害物質が住民の健康を害している。

大きな湖は気候を緩和するバッファーとして働くため、1960年に比べて10分の1の面積にまで減少したアラル海の周辺では夏はより暑く、冬はより寒くなってきた。頼みの綱だった綿花栽培も塩害が発生して、収量を減じている。自然は人間の思い通りになるわけではないという典型例である。民主主義国家であれば、アラル海周辺の漁民から損害賠償の訴訟が起こされたに違いないが、独裁国家であった旧ソ連では、責任はうやむやになってしまったのだろうね。原発事故を起こした日本でも、責任は結局うやむやにされたまま、またぞろ、原発再開という話が持ち上がっているところを見ると、日本も実は独裁国家なのかもしれない。

独裁政権や軍の暴挙

人工降雨に話を戻すとして、森林を燃やすというアイデアの次に出てきたのは、空に向かって砲撃を繰り返せば、雨を降らすことができるという説であった。実際にはこの方法は全く効果がないか、あったとしてもごく僅(わず)かな雨しか降らせなかったが、日照りで苦しむ農家や行政を騙(だま)して、金を巻き上げようと目論(もくろ)む詐欺師にとっては旨(うま)みがあった。その後、人工降雨の方法は徐々に進歩したが、人工降雨は恩恵ばかりではなく、損害ももたらすので、損害を受けた人たちは訴訟を起こすこともあったようだ。

「１９５０年代初め、ニューヨーク州北部の住民が、２００万ドルを超える支払いを求めてニューヨーク市を訴えた。ウォレス・E・ハウエル博士がキャッキル山地の貯水池上空で雲の種まきをし、そのせいで損害を被ったから賠償してほしいというのだ」（前掲書178ページ）。人工降雨の方法は、空への砲撃からドライアイスやヨウ化銀を空にまくといったものに進歩し、かなりの効果を発揮し始めた。こうなると、人工降雨はビジネスになる。一儲け（ひともう）けしようとする山師ばかりでなく、ゼネラル・エレクトリック（GE）といった大企業も参画を考えていたらしい。しかし、訴訟リスクを恐れたGEの弁護士は計画からの撤退を進言し、GEの人工降雨への参画は腰砕けになる。

GEに代わって人工降雨に目を付けたのは独裁政権や軍である。有名なのは次の二つの事例である。1986年、チェルノブイリ原子力発電所が爆発事故を起こし、事故後、チェルノブイリ上空では高い濃度の放射性物質を含む雨雲が発達していた。当時、卓越風はチェルノブイリからモスクワやレニングラード（現サンクトペテルブルグ）に向かって吹いており、これらの大都会で放射性物質を含む雨が降るのを恐れたソ連政府は、チェルノブイリとモスクワの間に位置するベラルーシ地方に、住民に知らせることなく雲の種まきをして、高濃度の放射性物質を含む雨を降らせたというのだ。ベラルーシ地方では、原発事故後、高濃度の放射線が原因とみられる白血病、甲状腺（せん）がんなどが増加した。

もう一つの事例は、ベトナム戦争中にベトコンの活動を抑制するために、ホーチミン・ルート上空に雲の種まきを行って、地上をぬかるみにしようとした試みだ。この二つは、一つは独裁政権下で秘密裏に行われ、一つは戦時下の作戦として行われたことにより、訴状沙汰にはならなかったが、人道的には大いに問題であり、平時に、民間企業が気象に介入して、不利益を被る人が出てきたら、間違いなく損害賠償を求める訴訟に発展するだろう。

実効性がないからこその美味しい商売

周知のように1960年代から70年代、多くの人々は地球寒冷化を心配し、1980年代後半からは、地球温暖化を心配している。後者の温暖化は主としてCO_2の排出増加による人為的温暖化だとの説が政治的な威力を発揮して、CO_2の削減を謳う、様々な装置や政策に大金が投じられており、これで儲けている人々が沢山いる。

気象学会の重鎮であったハリー・ウェクスラー（1911〜1962）は、大規模な気象改変は可能であると信じており、北極海の上空で水素爆弾を10個爆発させて、氷晶の粒子を雪煙のように極地の大気圏に吹き飛ばし、地球の温度を1・7℃上昇させることや、赤道軌道に塵(ちり)の粒子の環(わ)を打ち上げ、地球に日陰を作って、地球の気温を１・２℃低下させることができると述べた。

同時に、ウェクスラーは、今後、大規模な気象改変が真剣に提案されるのはおそらく避けられないだろうが、病気よりも治療法の方が悪かったという不幸な事態に陥らないようにすべきである、と１９５８年の論文で述べている。これは卓見である。日本で山林を切り拓いて野放図に設置してあるメガソーラーを見ていると、確かに治療法の方が悪そうだ。

幸か不幸か、今日、人為的温暖化を阻止すると称してなされている、自然エネルギーの開発、電気自動車などは温暖化の阻止には何の寄与もしていない。逆説的に聞こえるかもしれないが、何の寄与もしていないからこそ、これらは美味(おい)しい商売になるのだ。例えば、人為的に地球の気温を２℃下げることができたとしよう。これで得する人もいれば損する人もいる。北海道は新潟県に次いで、米の生産高が多いが、温度が下がれば、米の生産高は大幅に減少するに違いない。自然現象であれば、文句の言いようもないが、人為的だとすると、原因を作った人や組織に損害賠償を請求するという事になるだろう。

実効性のある温暖化対策を行うと利害が錯綜(さくそう)し紛争を招きかねないので、リスクを取ってまで誰もそんなことはしたくないのだ。だから、今日行われている温暖化対策なるものは、実効性はほとんどなく、金だけは儲かる仕組みになっている。恐怖を煽って儲けている人は真にずる賢いが、そのために税金を湯水のように使われる納税者はいい面の皮だ。

平等原理主義という病

LGBTQとオリンピック

2021年9月に『平等バカ』（扶桑社新書）という本を上梓した。「平等」は民主主義の公準の一つだが、運用するのはなかなか難しい。例えば現行のオリンピックは、男女別に分かれている。男女が平等ならば、男女の区別なしに行えばよさそうなものだが、そうなると、金銀銅のメダルはほぼ男子が獲得して、女子の大半は予選落ちという事になるに違いない。ほとんどの人はこれを不公平と思うだろう。スポーツに関しては男女の平均的な能力差は歴然としているので、同じ土俵で戦うのはいかがなものかという意見を支持する人は多いと思う。

人間がすべて男と女で構成され、それ以外の人がいなければ、男と女を分ける基準さえはっきりしていれば、男女別にオリンピックをやるというのはそれほど不合理ではないだろう。ところが、世の中にはLGBTQと呼ばれる性的マイノリティの人々が存在する。このうちL（レズビアン）、G（ゲイ）、B（バイセクシャル）の人は性的指向に関してはともかく、性自認に関しては体の性と心の性が一致するので、男女のどちらのカテゴリーに入るかについては問題はない。Q（クイア）は性自認がはっきりしていない人なので、とりあえず措くとして、問題はT（トランスジェンダー）の人である。

すなわち、生まれつきの体は女なのに性自認は男の人（FTM）と、生まれつきの体は男なのに性自認は女の人（MTF）である。FTMの人はオリンピックに出られるくらいの記録を持っているとして、女として参加する方が男として参加するより有利なので、女子として参加するだろうし、このことに目くじらを立てる人はまずいないだろう（いるかもしれないけれどね）。問題はMTFの人である。本人が自身の性自認は女なのでオリンピックの女子競技に参加したいと主張しても、他の人から見れば見てくれは男なので、ずるいと思う人も多いだろう。

近年はLGBTQの性自認や性的指向を認めるべきだという風潮が強くなってきたので（それ自体はとても好ましいことだ）、IOC（国際オリンピック委員会）も配慮せざるを得なくなってきた。権利や義務が平等であるためには、権利や義務を担う主体（個人）が同格の存在である必要がある。同格の集団を決めるためには何らかの同一性が必要である。オリンピック選手の性別チェックは、かつては身体検査次いで性染色体検査であったが、現在はテストステロン値を測って、値が限度以上の人の女子競技への出場を制限している。

２０２１年の東京オリンピックに参加したニュージーランドの女子重量挙げのローレル・ハバード選手はＭＴＦであるが、「大会の1年前からテストステロン値を基準以下に保つ」というＩＯＣの決定に合格したので、女子選手としての参加が認められた。男子と女子のどちらのオリンピックに参加できるかの基準をテストステロン値にすると、今度は生まれつきテストステロン値が高い女性が、テストステロン値を下げない限りオリンピックに参加できないという事が起こる。先天的にテストステロン値が高い、南アフリカのキャスター・セメンヤ選手は、陸上の女子８００メートルでオリンピック2連覇中であったが、テストステロン値を下げる薬を服用せず、東京オリンピックへの出場を禁じられた。

一方で、ＩＯＣはドーピングを禁じているが、テストステロン値を下げる薬を飲むことはドーピングにはならない、というのはご都合主義の感が否めない。いっそのこと、オリンピックは男女別をやめてノンバイナリー（性別無視）でやればいいとも思うが、するとメダルを全く取れなくなった女子選手から文句が出そうだね。

笑うに笑えない平等原理主義の呪い

いずれにせよ、権利や義務の平等は、同格の個人の集団内でしか成り立たない概念なので、同格であることを決めるメルクマールが決定的に重要になってくる。交通事故でイヌやネコを轢き殺しても刑事上の罪はなく、せいぜい器物損壊罪で、損害賠償を支払うだけで済む。たとえ、飼い主が自分の命の次に大切だと思っていても、イヌやネコは人間と同格な存在ではないので、これは止むを得ない。もちろん、動物にも生存権はあると主張する人もいるが、そう主張する人でも細菌の生存権を擁護する人はいないようなので、動物と細菌は同格の存在とは思っていないのであろう。

同格の個人の集合で一番わかりやすいのは任意団体であろう。例えば学会は学会費さえ支払っていれば、平等な権利を与えられる。学会の役員の選挙権や被選挙権、学会誌の頒布などの権利は、学会員であれば平等である。但し金の切れ目は縁の切れ目で、学会費を一定期間納めないと退会になってしまい、一切の権利を失うことになる。尤も、学会は本人が好きで入っているので、それで不公平になることはない。

集合が任意団体でない場合は少々ややこしい。例えば、18歳以上の日本国民には平等に選挙権が与えられている。18歳以上の日本国民がすべて同格の存在だというのは一種のフィクションで（だからいけないと言っているわけではないが）、超越論的な根拠があるわけではないが、普通選挙は民主主義国家の存在根拠なので、これは外すわけにはいかないのである。

大正時代の終わりまでは、国税を一定限度以上納めていなければ、選挙権がなかったし、戦前は25歳以上の男にしか選挙権はなかった。すなわち税金を一定額以上払わない人や女性は、格外の国民だったわけだ。現在は、選挙権が一律に与えられているので、国民は全部平等だと錯覚しがちだが、貧富の格差一つとっても、各々の個人が実態として平等という事はあり得ない。民主主義国家の理念は国民の生活と安全を保障することなので、稼げなくなっても野垂れ死にする必要はないし、税金を納めなくても選挙権はあるし、いざとなったら生活保護を受給して生き延びることに後ろめたさを感じる必要もない。

金持ちになるのも、貧乏になるのも自己責任という人もいるが、個々人には能力差もあるし、運もあるし、親の資力も違うので、すべてについて平等に扱うと、結果的に不幸な人を救えなくなってしまう。東日本大震災の際の最大級の被災地支援ボランティア組織「ふんばろう東日本支援プロジェクト」の代表だった西條剛央（さいじょうたけお）に聞いた話だが、５００人収容している避難所に毛布が３００枚届いたときに、３００人だけに配ると不平等になると言って、５００枚になるまで毛布を全く配らないで、倉庫にしまった避難所があったという。そのうち季節が進んで、暖かくなり、毛布は全く必要なくなってしまったとのこと。

笑うに笑えない話だが、平等原理主義の呪いがかけられていたとしか思えない。被災者はそもそも体力や健康面で平等ではなく、病人や高齢者や、乳幼児のいる家庭に優先的に配ったらいいのにと思うが、ボーダーで毛布を貰えなかった人に、不公平じゃないかと文句を言われるのが嫌だったのかしらね。

３００枚の毛布を５００人の被災者にどう配ったら公平になるのか、という問題を真面目に解こうとすると結構面倒くさい。５００人が全員中学生だったら、くじ引きで３００人に配るのが一番簡単で、公平性も保たれる。中学生は体力や健康面でほぼ同格の存在と看做せるからだ。ところが、病人、高齢者、乳幼児といった異質な人たちの混合集団では、これは結構大変だ。公平性を厳密に追求すると配布に手間と時間がかかる。いっそのこと倉庫にしまってしまえば、頭を悩まさないで済む、といった本末転倒のことが起きたわけだ。厳密な公平性は無視して適当に配れば、まあ、文句は言われただろうが、３００人は寒さをしのげたのにね。

人の能力は千差万別

東京オリンピック・パラリンピック組織委員会は、新型コロナウイルスの感染対策として用意したものの使用しなかった医療用マスクやガウン計５００万円分を廃棄したと発表した。理由は医療関係者への譲渡は手続きに時間がかかり、保管場所もないので捨てたとのこと。私見では適当に配ると公平性を担保できず、公平性を担保しようとすると、手続きに時間がかかるため、面倒なので捨ててしまえという事だったのだろう。資金を湯水のように使える組織委員会ならではの暴挙である。公平性は担保できなくても、適当に配れば、助かった医療関係者もあったろうにね。これも平等原理主義のなせる業だと思えば、さもありなんと思う。

平等原理主義は弱者にやさしくないばかりか、能力がある人の邪魔をする。日本の多くの組織（特に公務員）の給料は年功序列である。労働時間も同じで、得手不得手に関係なく労働内容も上から決められて、不得意なことでもやらねばならない。皆平等なのだから同じ仕事をしろ、という平等圧力が強い。しかし、人の能力は千差万別で能力が平等という事はあり得ないので、不得意なことをやったのでは、効率が悪い。適材適所と口では言っているが、実際にそういう組織は少ない。

嫌なことをやるのが仕事だと思っている人は、自分を仕事に適応させようと頑張るが、そもそも不得手なことを頑張ってやるのは心にも体にも負担がかかる。発想を逆転させて、自分に適応した仕事をすればいい。生物の適応だって、環境に合わせて徐々に適応したというよりも、最も棲(す)みやすい環境に移動したという方が事実に近いと思う。

今伸びている会社、これから伸びる会社は、社員の個性に合わせて、最も働きやすいやり方で働いてもらおうという会社だと思う。社員の能力・個性を無視して、平等に働かせようとする会社は生き残れないだろうね。

実証性を捨てた科学の行方

完全に正しい理論などというものは存在しない

科学は実証を旨とする。これはまともな人ならば、誰でも知っているだろう。しかし、改めて実証とは何かと問われれば、これは結構面倒だ。例えば、水素と酸素を混ぜれば水になることを実証するには、実際に実験をしてみればよい。この実験は何度やっても再現可能なので、この場合は、実証は再現可能性と同義である。それでは、水は温度を上げれば沸騰する、という言明はどうだろう。

確かに我々の日常的な経験では、この現象は再現可能で、例外はないように見える。しかし、深海の海底火山から熱水が噴出している場所（熱水噴出孔）では、水は１００℃をはるかに超えても沸騰しない。水圧が高くて沸騰できないのだ。従って、水が高温になれば沸騰するという現象は、ある条件下でしか再現可能ではないが、例えば、１気圧の下では沸騰するという現象は再現可能である。

ある初期条件の下で、何らかの操作をして結果が出る。研究論文には必ず、どういった初期条件の下で、こういう操作をしたら、こういった結果が出た、ということが書いてある。他の研究者が、同じプロセスを踏んで追試をして、同じ結果が出たら、最初の実験の正しさは、さしあたって実証されたことになる。

他の研究者が何度か追試を行っても首尾よい結果がでなかった場合は、最初の実験は錯誤かインチキか、あるいは、追試実験の条件や手順が、オリジナルな実験とは微妙に違っていたかのどちらかである。一時、世間を騒がせたSTAP細胞は、何人もの研究者が追試を行っても上手(うま)くいかず、遂には、本人が追試を行ってもうまくいかなかったのだから、STAP細胞は存在しなかったと考えざるを得ない。科学は情緒とも多数決とも無関係なので、うら若き女性研究者が涙ながらに「STAP細胞はあります」と叫んでも、同情した国民の多くがSTAP細胞の存在を信じても、実証されたことにはならないのである。

ところで、時間が後ろに戻らない現実世界では、初期条件を完全に同一にして、実験を行うことは実は不可能である。限定的な条件下で、ほぼ初期条件を同一にできるだけだ。人間が操作できないマクロな系では、そもそも実験を行うことができない。それでは、マクロな系に関しては実証は不可能なのか。そんなことはない。この場合は、再現可能性の代わりに予測可能性を持ちだせばよい。

例えば、近未来の太陽系の惑星の位置関係は予測することができる。100年後でも1000年後でも、この予測は間違いなく当たるだろう。従って、近未来の太陽系の位置関係を観測すれば、この予測の基になったニュートン力学の正しさは、さしあたって実証されたという事になる。なんで、わざわざ、「さしあたって」という限定語を付けたかというと、どんな理論も、その正しさは限定的なもので、完全に正しい理論などというものは存在しないからである（この辺りのややこしい話に興味がある人は、拙著『構造主義科学論の冒険』〔講談社学術文庫〕あるいは、『生物にとって時間とは何か』〔角川ソフィア文庫〕を参照されたい）。

人為的温暖化をめぐる理論の結末

太陽系内の惑星の位置関係だって、近未来はともかく、10億年後はどうなっているか分からない。太陽の質量は徐々に減衰するので、ニュートン力学に基づく予測は何十億年という未来までは通用しないからだ。ところで、近未来でさえ予測不能なのにもかかわらず、世間に跋扈(ばっこ)している理論もある。言わずと知れた人為的地球温暖化論である。人為的地球温暖化が政治的なアイテムになった20世紀の終わりから21世紀の初頭にかけて、２０２０年までに地球温暖化で甚大な影響が出る、という予測が雨後の筍(たけのこ)のように現れたが、ほとんどすべて外れだった。

いくつか列挙すると、

（１）１９８７年に、人為的温暖化論者の米国ＮＡＳＡのハンセンが、２０２０年までに地球の平均気温は３℃上昇すると述べたが、実際の上昇は０・５℃だった。

（２）21世紀の初めに、キリマンジャロの雪は２０２０年までには消滅する、という予測が、アル・ゴアをはじめ何人もの人によってなされたが、今に至るまで雪は消滅していない。

（３）２００９年に、米国地質調査所のファグレが、モンタナ州のグレイシャー国立公園の氷河は２０２０年までに消滅すると予測したが、２０２０年になっても氷河は健全だった。

（４）２０００年、イギリスのイースト・アングリア大学の気候研究ユニットの科学者ヴァイナーが、２０２０年には英国では雪は降らなくなるだろう、と予測したが、雪は今でもよく降っている。

人為的温暖化論に基づいて、過去になされた気候変動の予測はほぼ全部外れたのである。気候変動は地球規模の現象であるため、再現実験は不可能で、予測でしかその正しさを実証する術はないが、予測がことごとく外れたという事は、この理論は間違っていると考える他はない。それでも、この理論が正しくないという事になると、メガソーラーや電気自動車やその他もろもろの人為的地球温暖化を阻止すると称する商売の正当性が無くなって、それで儲けている企業が困るので、過去の予測の大外れについては頬かむりをして、このままＣＯ$_2$を削減しないと、２０５０年には地球は大変なことになると言って、恐怖を煽っているのである。

シミュレーションによる予測が全く当たらない

ところで、再現可能性とも、予測可能性とも少しく異なる第三の実証の方法は比較である。ある薬が効くことを実証するのは、通常は対照群との比較実験による。例えば、降圧剤の効果を実証するには、かなり沢山の高血圧の人を集めて、当該の降圧剤を処方するグループとプラシーボ（偽薬）を処方するグループに分ける。次に、治験者にも投薬する医療関係者にも、治験をする薬かプラシーボかを知らせずに、降圧剤の効果があったかどうかの統計的な検定をする。

降圧剤を飲んで、血圧が下がる人もいれば、下がらない人もいる。プラシーボを飲んでも下がる人もいるし、下がらない人もいる。同じ高血圧といっても、個々人ごとに体の状態が違うので、実際に効くかどうかは飲んでみなければ分からないし、飲むタイミングによっても効いたり効かなかったりする。

しかし、沢山の人を対象にすれば、確率的にはどのくらい効くかはわかる。例えば投与群の30パーセントの人の血圧が下がり、非投与群では2パーセントの人だけしか、血圧が下がらなかったとすれば、この薬は多少は効くことが実証できたことになる。但し、貴方(あなた)に効くかどうかは分からない。効いた人と効かなかった人ではどこかに違いがあることは間違いないが、現代医学ではその違いまでは分からない。付言すれば、降圧剤で血圧が下がったからといって、降圧剤を飲まなかったときに比べて、長生きできるかどうかも分からない。

個人は一人しかおらず、時間を戻すことができないので、初期条件を厳密に同じにした再現実験は不可能なのである。ある薬を処方するか、どんな治療を選択するかは確率に基づいて判断するしかないが、90パーセントの人には有効な治療も貴方には害毒だという事もある。がんの手術をして、10年経っても生存している人は、個人的には、手術をしてよかったと思うだろうが、手術をしなくても10年後も何でもないかもしれない。個人は一人しかいないので、比較することができない。

人為的地球温暖化にしても、地球は一つしかないので、比較ができない。地球をもう一つ作って、片一方の地球には人為的なCO_2の排出を全くせずに、二つの地球の平均気温の推移を調べれば、気候変動に対する人為的なCO_2の増加の寄与が分かる理屈だが、そんなことはもちろん不可能だ。それで、コンピュータのシミュレーションの出番になるわけだが、シミュレーションによる予測が全く当たらないという事は、前提となる理論（人為的地球温暖化）が間違っているということだ。

金儲けは科学的事実を曲げることができる

がんの治療に話を戻すとして、5年生存率とか10年生存率とか言われるのは、治療後の話で、治療をしなかった人の生存率のデータはないのだ。よく、医者は、治療をしなければ、余命半年などといい加減なことをいうけれども、治療しなかった人がどれだけ生きたかというデータはない。無治療を選択した人は、通常は病院に行かないので、その後どうなっているかというデータがないのである。

近藤誠(こんどうまこと)は、無治療で様子を見る方が、治療するより予後がいい場合がある、といろいろなところで発言していたが、無治療のがん患者の予後を近藤誠ほど沢山診ている医者はいないので、治療に専念している医者が、治療をしなければ余命は半年などと言っているのよりは、信用できる。しかし、治療をした人と、無治療の人を比較検討している大規模なデータはないので、今のところ、例えば、胃がんのステージ3の人は手術をした方がいいのか、しない方がいいのかは、厳密にはわからないのである。

国立がん研究センターが2021年に発表した10年生存率のデータを見ると、胃がんがステージ1で発見されて治療を受けた時の10年生存率は91・3パーセント、ステージ2では57・8パーセント、ステージ3は36・6パーセント、ステージ4は6・6パーセントである。早期発見されてすぐに治療を受けたから10年生存率が高いのか、ステージ1の胃がんの大部分はそもそも致命的なものではなく、治療をしなくとも、10年生存率に差がないのかは、比較データがないので、よく分からないのだ。

統計的なデータとして信用できるのは、特に異常がないのに、定期的な健康診断やがん検診を受けても受けなくても、死亡率に差がないという大規模な比較検証である。健康診断に延命効果があるという普通の人がナイーブに信じている話は、統計的には反証されているのだ。それでも、健康診断が無くならないのは、人為的地球温暖化論と同じく、金儲けの手段として使われているからである。金儲けは科学的事実を曲げることができるが、科学的事実は金儲けを止めることができないのである。

池に落ちた犬を棒で打つのが楽しい人たち

全く働かなくとも報酬が貰えるシステム

都議会議員当選直後に無免許運転が発覚し、大バッシングを受けた木下都議（元都議）が辞職した。私は２０２１年11月26日に「木下都議、辞職しないで頑張れば面白かったのにね。もっと悪い奴はいっぱいいますが、辞職する気配もないな」とツイートしましたが、舌足らずだったせいか、あまり受けなかったな。

法的には辞職する義務はないわけだから、私としては、徹底的に辞職を拒否した結末を見たかったのである。どんなにバッシングされても辞職するそぶりも見せない元首相もいるわけだから、木下都議が辞職しなくとも、法的には何の問題もないのである。

こういうことを書くと、悪いことをしたのだから責任を取って辞職するのが当然だと、知ったようなことを言う人がいるのは承知しているが、どうにも辟易する。都議は相互扶助システムに守られていて、議会に出席しなくても報酬を貰えるし、禁錮以上の実刑判決を受けなければ失職することはない。前者の不都合を解消するには、例えば議員報酬を議会に出席すべき日数で割って、出席した日数だけ報酬を支払うように法改正すればよく、無免許運転をした人が議員を続けるのが不都合ということであれば、無免許運転した人は即失職という法律を作ればよい。まあ後者に関しては、私自身はそういう法改定には反対だけれども、前者の法律はすぐにでも作って欲しいと思う。

なぜそういう法律ができないかというと、ほとんどの議員にとってはそういう法律は有難くないからだ。全く働かないで給料が貰える会社はない。国会議員をはじめ、議員は全く働かなくとも報酬が貰える場合がほとんどだ。日本の国会議員や地方議員は国際基準と比べて高給であることは間違いない。例えば日本の国会議員の年俸は約2000万円強、それ以外に文書費などで2000万円弱、計4000万円、他の国の国会議員の年棒はアメリカ1600万円、カナダ1300万円、ドイツ1100万円、フランス1000万円、イギリス1000万円、韓国800万円。日本の都道府県の議員年俸は平均1000万円、アメリカ州平均400万円、ドイツ州平均620万円、韓国広域自治体平均350万円、イギリス県平均70万円、フランス・スイス数十万円から無報酬である（ここに挙げた年俸は1ドル110円のレートで算出)。しかし一番大きな問題は高給自体にあるというよりも(確かにもう少し低くてもいいとは思うけどね)、全く働かなくとも報酬が貰えるところにあるのだ。

なぜそういうことになるかというと、議員の報酬は議会が決めて、さらには議員の報酬の停止規定を作らないところが多いからだ。自分たちの報酬を自分たちで決めれば、高給になるのは当たり前だ。さらには、国会議員をはじめ、議会に出席しなくとも、満額支給される場合が普通で、日給制を採用している自治体は稀である。これも議員にとってはおいしい話なので、自分たちで決めている限りは、簡単には変わらない。議員の身分保障と報酬に関しては、議会とは独立の委員会を作って、そこで審議するようにしないと、いつまでたってもこの悪弊はなくならないだろう。

合理的なシステムを作らないで、個別の議員の非をあげつらって、みんなでバッシングするのは、結果的にシステムの非合理性を隠蔽するのに役に立つだけだと思う。木下元都議が辞職せずに、議会を欠席したまま議員報酬を貰い続ければ、あるいは、議員報酬の日給制化の議論も起こるかもしれないと期待したのだが、木下元都議は、私が思ったほどには根性がなくて残念だった。

下品な人々の取る行動

　私が、もう一つ辟易したのは、木下都議の辞職を求めて、マスコミからSNSまですさまじいバッシングの嵐となったことだ。まさに「池に落ちた犬を棒で打つ」という諺にふさわしい状態になったのだ。多くの下品な人は木下都議をどんなコトバで罵っても、自分に悪口が返ってくることがないと分かっていて、安心して、罵倒できるという快感に酔いしれていたとしか思われない。例えば、木下元都議に比べれば巨悪の権化のような故安倍元首相を罵倒すると、ネトウヨに絡まれることは間違いないので、ある程度根性がある人以外は元首相を罵倒しない。

　完全安全地帯から、思い切って罵倒できる木下都議は、欲求不満が溜まり、将来の不安を払拭できない人にとって、格好の標的になったのであろう。孤立している人をバッシングするのは、孤立したくないという潜在的恐怖の表れなのだ。新型コロナが流行り始めたころ、地元のナンバーでない車が止まっていると石を投げたり、東京から里帰りしてきた人を病原体がやって来たかのように忌み嫌って嫌がらせをしたりした人がいたが、これらも、新型コロナウイルスに対する恐怖のなせる業なのだ。

同調圧力が強い日本社会では、バッシングしてもOKという人に対してマウントを取って、自己の優位性を誇示して、自己満足する人が結構多い。実は誰も褒めてはくれないのだけれど、自分では正義の味方のような心持になれるので、結構気持ちがいいのかもしれないね。

昔も今と同じように、電車の中で、携帯で喋（しゃべ）ることはマナー違反であった。私が山梨大学に通っていた頃だから、もう20年近く前のことになる。ガラガラの車内で、携帯で楽しそうに喋っている女子高生がいた。すると、遠くの方に座っていたジイさん（きっと今の私よりも若かったのだろうけれどね）が、やおら立ち上がって女子高生の所にやってきて、「うるさいぞ。車内で、携帯で話してはいけないのは知っているだろう」と大声でくどくどと説教を始めた。可哀そうな女子高生は「すみません」とぺこぺこしていたが、説教が終わると、隣の車両に移ってしまった。傍で、このやり取りを聞いていた私は「ジイさんの方が余程うるさいぞ」と思っていたが、面倒くさいので黙っていた。反撃できない人を攻撃して、溜飲（りゅういん）を下げるほど下品な行動はない、と私は思うが、本人は社会の木鐸（ぼくたく）のつもりで、気持ちいいのかもしれないね。

一見まともに見えるやり方

このジイさんにしても、相手が強面（こわもて）の若者であれば、きっと文句は付けなかったと思う。重要なのは、誰からも表立って文句を付けられない主張であることと、文句を付けた相手に攻撃される恐れがないことである。主張の当否はとりあえず、どうでもよくて、現時点で世間一般が靡（なび）いている主張であれば、個々の事情などは構わずに、自分の主張は正論だと胸を張ることができる。

もうほとんどの人は忘れてしまったかもしれないが、新型コロナウイルスが流行し出すほんの少し前の２０１９年の12月に、大手スーパーのイオンが、マスクを着用しての接客を、原則禁止にした。「マスクは表情を隠して店員の印象を悪くする」「マスクをしながら接客するのは失礼だ」というのが、イオンの経営者の主張で、ウイルス感染症が流行していなければ、確かにこの主張は正論のように聞こえなくもない。従業員は経営者より立場が弱いので、いやいやでも従うだろうという思いもあったのかもしれないが、何であれ、命令に従わせるのが快感というイオンの幹部がいたのだろう。

従業員の中には風邪をひいている人、もともと喉（のど）が弱くて予防のためにマスクをしたい人、花粉症でマスクを手放せない人など、いろいろの個別事情があったに違いないが、そういう人はいちいち上司の許可を受ける必要があるみたいだった。いかにも日本的だと思う。個々人の判断を尊重しないで、一律にルールを決めて、事情がある人に関しては特例を認める、という一見まともに見えるやり方が、実は、日本の衰退の原因だということが分かっている人は少ない。

マスクを付けたいという従業員の申し出をいちいち判断して、許可するかどうか決めるのは、権力行使の一種なので、楽しいかもしれないが、本業とは何の関係もないことにコストをかけるので、大局的に見れば無駄である。日本は、学校から始まって、一般の会社、官庁に至るまで、この手の無駄に満ちている。これが、働く人のやる気を下げ、結局は生産性を下げる原因なのだ。

それが一転、新型コロナが流行り出したら、今度はマスクを付けるのが義務のようになってしまった。誰もいない道でマスクを付けたり、一人で自動車を運転している時にマスクを付けたりしなくてもよさそうなものなのにね。何のためにマスクを付けるのかを考えずに、ただ、みんなが付けているから付けているという自主性のない人が多すぎるのかもしれない。

一番かわいそうなのは児童生徒である。学校でいつでもマスクを付けるように指導されているのだろう。暑い最中、重いランドセルを背負って誰もいない道を、マスクを付けて歩いているのを見ると、新型コロナウイルスより熱中症の心配をした方がいいのではないかと思ってしまう。

それで、またぞろ、マスクをしていない人を捕まえて、バッシングするマスク警察が現れそうだ。マスクをしていない人を見つけると鬼の首でも取ったようにバッシングする。個々人にはいろいろ事情があって、マスクを外さなければならない時もあるのだけれども、マスク警察は罵倒する喜びに震えているので、何を言っても無駄なのだ。まあ、碌な死に方はしないな。

専門家は信用できるのか

自分たちの意見を主張したいときの権威づけ

政治や経済や新型コロナや地球温暖化についてSNSなどで発信すると、専門家でないから信用できないとか、素人は口出しするなと言わんばかりのリプライがあって呆れる。政治や経済はともかく、地球温暖化に関しては、私は並の専門家より詳しいと思うけれども、「お前は専門家じゃないだろ」という文言が恫喝に使えると思っている時点で、こういった発言をする人は終わっている。今は、パソコンさえあれば、大概のことは調べられる時代なので、勉強を怠っている専門家よりも、勉強している素人の方が、正確な情報をよく知っているのだ。

そもそも専門家というのは、いったい何をもってそう言うのかという所からして結構ややこしい。現代では、何らかの専門分野で学位（通常は博士）を取って、大学や研究所に職を得て、給料を貰っている人のことを専門家というらしいが、学問はものすごく細分化されているので、通常は自分が研究している分野から少し外れてしまえば、そこでの最先端の研究については知らないのが普通だろう。

私は動物生態学の分野で学位を取っているので、大きく分ければ生物学の専門家だが、生物学の分野は膨大で、知らないことの方がはるかに多い。それでも、生半可な知識で生物（生物学）について発言しても、お前は専門家じゃないだろうと言われることがないのは不思議だ。例えば、生態学会の中で、○○の専門家という話になると、シロアリの生態の専門家とか、ある地方の植物相の専門家とかいう人はいても、生態学の専門家と名乗る人はいない。しかし、マスコミが紹介する専門家の肩書は、経済の専門家とか、環境の専門家とか、生物学の専門家とかいった、大雑把なくくりであることが普通だ。

そう考えると、専門家というのはマスコミや政府が自分たちの意見を主張したいときの権威づけのために利用する肩書みたいなものだ。だから、マスコミに出てくる専門家の意見は、政治的なバイアスがかかっていると思った方がいい。後で、間違いであると言われてバッシングされたときに、専門家の意見に従っただけだと言えば、責任を免れる。

大学や研究所に勤めて給料を貰っている研究者を、専門家と看做すという定義に照らすならば、例えば、チャールズ・ダーウィンは専門家ではなかった。自費で研究をしているアマチュアだった。現在は「在野の研究者」などと言って自費で研究をしている人を見下す風潮があるが、当時のイギリスの研究者の中で、ダーウィンを見下す人はいなかったはずだ。

修正意見を言わない専門家、修正しても報道しないマスコミ

職業的研究者であろうがアマチュアであろうが、科学的知見は中身が問題であって、肩書は問題でないことは誰でもわかる。ほとんどの人が分からないのは、誰の意見が正しくて（あるいは合理的で）、誰の意見が間違っているか（あるいは非合理的か）ということだ。それで、専門家の意見を重宝するようになるが、学問体系が定まっていない分野、例えば新型コロナ感染症への対応とか、人為的温暖化の是非とかについては、専門家はしばしば間違えて、しかも間違いを訂正しないで、間違った方法がそのまま踏襲されても、知らんぷりをしていることが多い。

新型コロナの感染に関して言えば、いわゆる専門家の多くは、最初はマスクは有効ではないと言っていた。そのうち不織布のマスクを顔にぴったりつければ有効だという話にな

ったが、マスクは有効でないという発言は間違っていました、とはっきり釈明した専門家は寡聞にして知らない。今また、マスクをしていてもしていなくても、感染確率はさして違わないという話になりつつある。専門家と雖も、実際に検証している人はほとんどいないので、実はよく分からないのである。

感染経路も、最初の頃は飛沫感染と接触感染が主で、エアロゾル感染はないと言っており、2メートル離れれば、飛沫感染を防げるので、なるべく人と距離を取ることを推奨していた。あるいは、接触感染を防ぐために、アルコール消毒を徹底し、素手でドアノブなどを触らないように指導していた。しかし、現在は接触感染する確率はごく小さいことが分かってきた。スーパーに出入りするたびに、アルコール消毒をするのは皮膚が弱い人にとってはデメリットの方が大きいが、そういう話はあまり報道されないようだ。

オミクロン株はエアロゾル感染をするので、部屋の換気をよくするのが感染を防ぐ王道で、部屋の中にアクリル板を立てても、余りメリットはなく、林立させればかえって換気を妨げるので、むしろ外した方がいいと思えるが、そういう話も聞こえてこない。テレビ局の収録などでは今でもアクリル板が林立している。

専門家の意見に従ったと称して、システムが立ち上がってしまうと、修正するのが難しくなり、エビデンスが変わっても、有害だったり無益だったりするやり方が続くことになる。この場合でも、専門家は修正意見を言わないか、発言してもマスコミは報道しないことの方が多い。要するに、専門家の意見は、マスコミや時の政権の意向を反映するべく、つまみ食いされるだけのことが多いのだ。

エビデンスがひっくり返ったのに、一度立ち上がったシステムが崩壊しなかった最悪のケースは、あちらこちらに書いたことがあるが、ダイオキシンに関するものだ。1999年の2月、テレビ朝日の「ニュースステーション」が所沢（ところざわ）産のホウレンソウから高濃度のダイオキシンが検出されたと報じて、所沢の野菜の不買運動が起き、所沢の農家が大損害を被ったという事件だ。

環境総合研究所の青山貞一（あおやまていいち）という人が、所沢のホウレンソウのダイオキシン濃度は極端に高いと証言して、ダイオキシンは危険だという話になり、1999年の7月にいわゆるダイオキシン法が制定され、ダイオキシンを減らすと称して、ハイテクの高級焼却炉を設置して、野外や簡易な焼却炉でのゴミの焼却は禁止となった。その後、所沢の高濃度ホウレンソウもウソならば、焚火（たきび）や簡易焼却炉で人体に有害なほどダイオキシンが出るという話もウソだとわかったが、ダイオキシン法は廃止されることはなかった。

得をしたのは高級焼却炉を作ったメーカーと監督官庁の役人だろう。科学者にダイオキシンは危険だと言わせて、世論を作り、自分たちが儲かる法律を作らせたに違いない。一度法律さえ作ってしまえば、システムは続くわけで、法律の根拠となる科学的知見が出鱈目だとわかっても、後は知らんぷりして甘い汁を吸い続けることができるというわけだ。

ダイオキシン法を推進した専門家は利権がらみの人が多く、ダイオキシン対策を記したガイドラインの手引書の執筆者の大半は焼却炉メーカーの人であった。おそらく、通常の焼却で生じるダイオキシンは人体にとってほとんど問題にならない事が分かっていたのだろう。とにかく早く法律を作りたかったに違いない。所沢の騒ぎがあってから、法律の成立まで、僅か5か月だ。如何に焦っていたかが分かる。

全世界挙げてのインチキキャンペーン

今もまた政権の都合で、科学者はいいように使われている。新型コロナウイルスによる死者は20歳未満では2022年9月19日現在、累計30人である。

副反応の頻度を勘案すれば、20歳未満の人への接種はデメリットの方が多いと思われるが、国は20歳未満の人への接種を勧めている。マスコミに出てくる専門家でそのことに言及する人はほとんどいない。

不思議なことに、ワクチン接種後の死者数の年齢別の実データはなかなか調べられないようになっている。ワクチン接種推進という厚生労働省（以下、厚労省）の方針にとって、不都合なことがあるのでしょう。厚労省にはワクチンの在庫を処理する必要があるのかしら。

最近のインチキの最たるものはＳＤＧｓがらみの話で、人為的温暖化は科学的真理だという、全世界挙げてのキャンペーンだ。人為的温暖化論は賛否両論があって、反対している科学者も多いが、マスコミには人為的温暖化は真理という話しか出てこない。反対する科学者はテレビの生番組には出してもらえないし、生番組でないところではこの手の発言は全部カットされるので、一般視聴者が、人為的温暖化を信じるのも無理はない。メガソーラーや電気自動車を推進したい企業とCO_2削減という正義の御旗（みはた）を立てて大衆の支持を得たい政治家の陰謀だな。

電気を作るにも、メガソーラーを設置するにもCO_2は出る。製品になった段階から計算すれば、確かにCO_2は出ないが、電気は自然エネルギーか原発で作る以外はCO_2が出る。例えば２０２０年の統計では、日本の発電量の75パーセント強は化石燃料から生み出されるから、電気自動車を動かしているのは結局のところ化石燃料なのだ。効率を勘案すれば、最初から化石燃料を使って自動車を動かした方がトータルのCO_2排出量は少なくなるだろう。あるいはメガソーラーは造るのにもCO_2が必要だ。さらに後10年も経たずに多くのソーラーパネルは老朽化して瓦礫(がれき)の山になり、この中にはカドミウムといった有害物質も含まれている。これを処理するにもCO_2は必要だ。

あれやこれやを考えればCO_2削減などは絵に描いた餅(もち)だが、分かっていても止められないのは、システムが立ち上がってこれで糊口(ここう)をしのいでいる人がいっぱいいるからだ。困ったことだ。

Ⅲ こうして人は間違える

妄想はどこから来るのか

妄想を消し去るのは難しい

アメリカの大統領選挙は終わって、バイデン大統領が誕生したが、選挙に不正があったと主張するトランプ前大統領は、最後まで負けを認めずに支持者を煽(あお)って、2021年1月6日、投票の結果を認定してバイデンの次期大統領就任を正式に確定する上下院合同会議が開催されていた連邦議会議事堂を襲撃させて占拠させ、5人の死者が出る事件まで起こした。

トランプを熱狂的に支持する一部の人たちは、「選挙は盗まれた」(不正選挙の結果バイデンの得票数が増えた)とするトランプの主張を信じ、さらにはQアノンと呼ばれる陰謀論に加担して、妄想を膨らませていった。Qアノンとは、世界規模の児童買春組織を運営するディープ・ステイト(DS)なる秘密結社があり、メンバーは小児性愛者や人肉嗜食(ししょく)

者や悪魔崇拝者であり、民主党の政治家や政府高官、ハリウッドセレブが入っており、トランプはDSと戦う英雄であるという主張である。

　妄想が嵩じて、Qアノンの信奉者は、1月20日の大統領就任式の当日までに、トランプが戒厳令を敷き、DSのメンバーを一斉検挙して、ことによっては処刑する「The Storm」という一大イベントが行われると信じて、待ち構えていたようだが、周知のようにバイデンは無事大統領に就任し、トランプはすごすごとフロリダの別荘に帰っていった。

　どんなにエビデンスを挙げても、選挙で不正があったという妄想を消し去るのは難しい。一度そう信じた人はどんな証拠を突きつけられても、次々に妄想の物語を作ることができるからだ。誰かがトンデモナイ妄想の物語を考えてSNS上に流し、それを信者たちが次々にリツイートすれば、この妄想を真実だと思う人の数も加速度的に増加する。

　ところが、明証性が際立つ未来の出来事についての妄想は、外れた場合は、言い逃れることが難しい。1月20日までに「The Storm」が起きて、DSのメンバーが拘束され、トランプが大統領になるという妄想は、バイデンが大統領になった後も、正しいと言い募るのは難しい。選挙の不正に関しては、尤もらしい物語を考えることはいくらでもできるけれど、「The Storm」が起きてトランプが大統領に就任したという尤もらしい物語を作ることは不可能だからである。

1月20日にバイデン大統領が就任した事実を受け、多くのQアノン信奉者は騙されていたことに気づきがっかりしたらしいが、この人たちは人間として真っ当であり、新たな陰謀論に騙されなければ、暫くすれば普通の生活に戻れるだろう。中には諦めきれずに、「DSの悪事は今後4年間のうちに暴露される」として時間を引き延ばす人もいる。4年後に何事も起こらなかったら、次は40年後に時間を引き延ばせば、死ぬまで妄想に浸っていられる。幸か不幸かは知らないけれどね。

と、ここまで書いて、実はこれって人為的地球温暖化論者の手口と選ぶところがないと気が付いた。1990年代に人為的地球温暖化を叫ぶ人たちは、2020年には地球は温暖化して危機的になると言って、人々を脅かしていたが、温暖化は20年以上前からストップして、地球は危機的にならなかったので、今度は、2050年には大変なことになると言って、時間を先延ばししている。そう考えれば、人為的地球温暖化論は「カルト」だということがよく分かる。信者の数と「カルト」に注ぎ込まれた膨大な税金を鑑みれば、Qアノンより質が悪いかもしれないな。

情動と事実の齟齬

実は、本物のバイデンはすでに刑務所に収監されている、といったすさまじい妄想もある。これで思い出したのはカプグラ・シンドロームである。V・S・ラマチャンドランの名著『脳の中の幽霊』（角川文庫）に詳しいが、少しおさらいをしてみよう。自動車事故で頭をフロントガラスに強打して3週間も昏睡した後、意識が戻ったアーサーという少年の物語だ。アーサーはリハビリ療法の甲斐あって、見かけはすっかり正常になったが、一つだけ両親が偽物だという妄想に囚われて、いくら本物だというエビデンスを示しても偽物だと言い張ったという。

不思議なことに、アーサーが偽物だと言い張るのは両親に関してだけで、以前の知り合いはどんな人でもちゃんとわかり、偽物だとは言わない。さらに両親と電話で話す時には偽物だと言わない。アーサーに限らず、カプグラ・シンドロームの患者は、親しい人（両親、子供、配偶者、兄弟姉妹）を見ると、別人だと思い込む。患者の3分の1は、自動車事故のような脳の外傷性障害に端を発しているようだが、自然発生的に起こることも多い。

今のところ、有効な治療法はないようだ。

脳の中には様々な領域があるが、顔や物を認識する領域は側頭葉にある。顔を認識した側頭葉から大脳辺縁系にある扁桃体に情報が送られると、情動の中枢である扁桃体は、愛、怒り、幻滅、あたたかさ、等々といった感情を発火する。親しい人や不倶戴天の敵の顔を見ると感情の発火は激しく、そうでない人では取り立てて激しい感情は起こらない。

ラマチャンドランの仮説では、カプグラ・シンドロームの人は、認識に関する領域と、情動に関する領域の連結に障害があり、アーサーは、以前は両親を見ると感じていた「あたたかさ」を少しも感じないので、何かおかしいと思い、目の前にいる人が実は両親ではないというお話を作って、認識より自分の情動の方を優先したのだという。アーサーの場合、人の声を認識する領域と扁桃体の連結は阻害されなかったので、電話の場合は両親の声から「あたたかさ」を感じられ、両親が喋っていると信じることができたわけだ。また、以前の知り合いは、昔も今も、会見しても、さしたる感情が浮かばなかったので、偽物だと思う理由はなかったということになる。

ここから敷衍して、一般に妄想は、扁桃体で感じる情動と、他の脳領域で認識している事実が齟齬を起こして、認識している事実よりも、扁桃体で生じている愛、憎しみ、好悪、願望などの感情を優先して、事実を歪曲して解釈するところから生じると考えられる。

例えば、トランプに勝って欲しい、あるいは民主党は嫌いだという願望が強いと、トランプがボロ負けしたという事実を受け入れられずに、選挙で不正が行われたといった願望に合わせた物語を作って、事実を糊塗しようとするわけだ。民主党が嫌いという感情が嵩じると、ＤＳという物語を作って、「The Storm」により自分たちの願望が実現するに違いないといった妄想が生じることになる。

政治的妄想はポピュリズムと親和性が高い

カプグラ・シンドロームといった個人的な妄想は、他の人にはなかなか理解し難く、本人の周りの人は大変だけれども、社会に大きな影響を与えることはない。しかし、ＱアノンやＤＳといった党派的な妄想は、時として厄介な政治問題となって、社会に災難をもたらすことがある。

事実を直視できず、願望に合わせた物語を作って、太平洋戦争に突き進んでボロ負けした昭和10年代後半の大日本帝国の指導層は、ひどい妄想に取り憑かれていたわけだが、おそらく、政府や軍の高官でも真っ当な頭の人はこれが妄想だということに気づいていたに違いない。気づいていても妄想を止められなかったのはなぜか。誤解を恐れずに断言すれば、政治的妄想はポピュリズムと親和性が高いということだ。

ナチスも、太平洋戦争時の日本の軍部もそうだけれど、情報を統制して国民が喜びそうな妄想を垂れ流せば、事実を知らされてない大方の国民は、被害がわが身に及ぶまでは、妄想の情報を信じるようになる。B29が飛んできて爆弾を落とされて、身近な人が犠牲になれば、軍部の流す大本営発表を怪しいと思う人が出てくるけれども、妄想をかたくなに信じてしまうと、やがて神風が吹くとか、神国日本は不滅といった願望が実現されると信じるようになる。Qアノンの信者と選ぶところがない。

人為的地球温暖化といった、グローバル・キャピタリズムと、その走狗（そうく）の多くの国の政府が後押しする、世界規模の妄想は別として、しかし、現代版の妄想の多くはSNSで拡散されるため、世界大の規模までは拡がらないことが救いといえば救いである。

様々な妄想に共通する物語は、善悪二元論に基づく単純な話である。いつの時代でも、大衆は自分や自分の属する集団は正義であり、対立する集団は悪であるといった単純な話を信じやすい。特に現状に不満がある人々は、悪を倒せば、未来が開けて、幸せになれるといった夢を見ることに心地よさを感じる。鬼畜米英をやっつける正義の日本とか、悪魔崇拝者のDSと戦う英雄のトランプとかいった話に騙されるのは、自分の不満を代弁してくれる英雄に自己の願望を重ねるからである。妄想がポピュリズムと親和性が高い所以（ゆえん）である。事実を直視した言説はバラ色の未来を約束する単純な妄想にはかなわない。かくして妄想がポピュリズムと重なると、クラッシュを起こすまで妄想は止められなくなる。

ここのところ零落著しい日本でも、ネトウヨという妄想信者が「日本すごい」という願望にしがみつき、仮想敵国の韓国の経済は崩壊するとはやし立てているが、韓国経済が崩壊する気配はない。自分の国のことを心配した方がよさそうだけれどね。

グローバル・キャピタリズムは経済格差を押し広げ、少数の富裕層と多数の貧困層を生み出す。経済格差を解消しなければ妄想の種を除去することは難しいが、トランプの政策がそうであったように、妄想の元締めの行う政策は、経済格差を拡大するものが多く、それがさらに不満を膨らませ、さらに妄想信者を増やすという悪循環に陥っている。いずれ目が覚めると信じたいが、「お父さん騙されないで」と叫んでいたオウム真理教の信者のように、妄想に囚われた人はエネルギーと使命感に満ち、脳は幸せを感じているので、目が覚める前にあの世に行く可能性の方が高そうである。

残念なことだが、私には貧乏人の暮らし向きが少しでも良くなるような政策を掲げる政党に投票する以外には、さしあたって為(な)す術(すべ)はない。

贈与と権力

社会的立場が上の人が奢るという不文律

我々の社会では他人に贈り物をしたり、食事を奢ったりすることは比較的普通の行為で、一度もそういうことをしたことがない人は余程の貧乏人か、さもなければ余程のケチであろう。それでは人はなぜ他人に贈与するのか。ほとんどの場合、何らかの見返りを期待しての行為であることは間違いない。

結婚相手を紹介して欲しいとか、知らない土地に引っ越すことになったので、その地に長く住んでいる知人に様々な情報を教えて欲しい、とかいった頼み事をするときに、手土産を持っていくのは日本ではごく一般的な習慣であろう。しかし、贈り物の習慣が嵩じて、贈り物を渡して議員選挙の投票の依頼をするとか、公共機関の入札に関して便宜を図ってもらうとかすれば、これらは立派な犯罪である。

お気に入りの芸能人やスポーツ選手に贈り物をするファンは、何の見返りも得られないではないか、といった反論もあろうが、金銭的、物質的な見返りがなくとも、憧れのスターとかかわりを持ったという精神的な満足感も、贈り物の見返りと言えなくもない。しかし、何といっても最も一般的な贈与の見返りは、贈与に伴って、何らかの上下関係が発生し固定化することであろう。

大学に勤めていた時は、ゼミの学生や親しい学生たちに時々食事を奢っていた。私と学生たちとの上下関係は自明だったので、上下関係をはっきりさせるために飯を奢っていたわけではなかったけれど、美味いものを食べさせてくれた人に懐くというのは、かなり一般的な真理なので、私とこれらの学生たちとの関係は概ね良好であった。

大学の学部の教師と学生の間には利害関係はほとんどないので（大学院になると多少微妙だ）、飯を奢っても奢ってもらっても生臭い関係になることはまずない。時々、パワハラとかセクハラとかいった話もないわけではないが、それは権力を笠に着て、教師が学生に無理強いするからであって、来るものは拒まず、去る者は追わず、という態度を貫けば、そういう話にはならない。

会社の上司と部下の関係になるとそうはいかない。飯は上司が奢ってくれることが普通であろうが、部下は上司の誘いを断り辛い場合が多いだろう。飯を奢ってもらって嬉しいだろうという顔をされて、尊敬もしていない上司の自慢話を聞かされるのは、勘弁してほしいと思う部下も少なくないはずだ。いずれにせよ、教師と学生の場合も、上司と部下の場合も、社会的立場が上の人が奢る人で、社会的立場が下の人は奢られる人という関係がひっくり返ることはない。違いがあるとすれば、前者より後者の方が Obligatory（逃れられない）ということだけだ。

特別な頼み事がある場合は別にして、下の人が上の人に贈与をすることはまずない。最初は対等だった二人の片方が贈与をする人に、もう片方が贈与をされる人になれば、暫くすると前者の立場が後者よりも強くなることは避けられないからだ。別言すれば、自分の方が優位に立ちたい人は、贈与をしたくなるということだ。デートをして、男性が女性に奢るのは優位に立ちたいからで、奢ってもらうのは絶対嫌だという女性は、対等の立場を貫きたいのである。

与える義務、受け取る義務、返礼の義務

現代では権力は複雑に分散されていて、贈与するされるという行為と、公的な権力は直

接的な関係を持たないが、私的な所では贈与と権力は密接な関係にあることは間違いない。貨幣経済以前の社会においては、私的な権力ばかりでなく、社会的な権力もまた贈与と強く相関していたと思われる。

北アメリカの太平洋岸北西部の先住民族社会では、ポトラッチと称する贈与儀式があり、裕福な家族や部族の指導者が、招待客を祝宴でもてなし、様々な財を贈与する。一族の地位は所有する富の規模ではなく、ポトラッチで贈与する富の規模で決まったので、高い地位に就きたい者は競って富を蕩尽(とうじん)したのである。

最初は、ポトラッチの規模によって社会的地位が決まるにしても、社会的な地位がある程度固定されると、ポトラッチを行わなければ地位を維持できないので、ポトラッチはObligatory（義務的）になったと思われる。フランスの文化人類学者マルセル・モースは、ポトラッチのシステムを分析して『贈与論』（原著1925年発行、邦訳も複数ある）を著し、ポトラッチには三つの義務があるという結論を導いた。与える義務、受け取る義務、返礼の義務である。

「与える義務」からポトラッチは始まると言ってよい。この義務を遂行しない者は、社会的地位を築けない。贈られた者には「受け取る義務」があり、受け取らなければ、敵対関係になることを覚悟する必要がある。

最後の「返礼の義務」はポトラッチに特徴的なもので、返礼品を贈らなかったり、自分の地位に見合った返礼をしなければ、社会的地位を失ったり、劣位になったりするので、社会的地位を維持したければ、返礼は Obligatory になる。ほぼ同格の二者の間でポトラッチが行われると、互いに相手より優位に立とうとすれば、贈ってもらった以上のものを返し、相手はさらにそれ以上のものを返し、贈与合戦の様相を呈してくる。最後には、貴重な品を相手の見ている前で破壊し、相手も同等以上の品を破壊するといった、蕩尽合戦にまで行き着く。後からアメリカ大陸にやって来た資本主義に馴染(なじ)んだ白人から見れば、ポトラッチが悪しき浪費に見えたことは想像に難くない。カナダ政府もアメリカ政府も19世紀の後半にはポトラッチを禁止したことからもそれが分かる。

しかし、貨幣経済以前の社会では、ポトラッチには財の交換や再配分という意味合いもあったことは間違いない。モースは返礼の義務があることを強調しているが、贈与に対する返礼とは、贈与品と返礼品が同じものでなければ、結果的に物々交換に当たり、お互いに必要な品を手に入れる方途であったはずだ。また贈与品と返礼品の価値に、社会的地位に応じた差があれば、ポトラッチは部族間あるいは個人間の財の平準化に寄与したに違いない。

人類史において、今日食べる以上の食料が備蓄できるようになると、部族間であるいは個人間で、貧富の差が開いてくるのは避けがたい。あるシステムがなければ、行き着くところは極端な独裁政治になることは世界史が教える教訓である。現代になり、民主主義下の国家では、累進課税あるいは相続税といった形で集めた税金を福祉に注ぎ込んで、富の再配分を行ってきた。しかし、ここに来て、グローバル・キャピタリズムが富の二極化を拡大する方向にアクセルを踏んでいるのは憂慮すべき反動だと思う。

貨幣経済以前の社会で、ポトラッチのように、贈与を沢山すればするほど社会的地位が上がるというシステムは、過度な独裁への移行を阻止するうえで、大きな役割を果たしたに違いない。現代社会では、惜しげもなく贈与を行う人は私的には慕われるかもしれないが、一般的には、贈与とは無関係に金持ちと貧乏人を比較すれば、前者の方が社会的地位は高いだろう。貨幣で物を買うということは、物を売って儲かる限りにおいて、買う人から売る人へ贈与が行われたということに等しい。大金持ちは潜在的贈与力が高いのである。

財欲を持たない人こそ高貴である

贈与する人と贈与される人の間で権力関係が発生するのは、人類史の始まりと軌を一にしているに違いない。腹が減って死にそうな時に、誰かが食物を恵んでくれれば、思わず「有難う」と言う感謝の言葉を発したくなるが、感謝の言葉もまた権力関係を内包している。

人類学者の奥野克巳が「TASC MONTHLY」（たばこ総合研究センター発行、２０２０年10月）に「旺盛な食欲、制御される財欲〜ボルネオ島の狩猟民プナンの生〜」と題するエッセイを書いている。奥野がマレーシア・サラワク州のブラガ川上流に住むプナンの部落に滞在して、彼らと生活を共にした時の記録である。プナンはボルネオの熱帯雨林で主に狩猟を生業にして暮らしている。

ハンターが獲物を捕ってくると、皆で分け合って食べる。次にいつ食べられるかわからないので、食べられるだけ食べるようだ。食欲が収まっても食べ物がある限り食べるという。腹を下しながらも食べる。注目すべきは「有難う」に当たる言葉がないことだ。獲物を捕ってきたハンターに対しても、財を贈与してくれた人に対しても、親切にしてくれた人に対しても、感謝の言葉を発しないのは、我々の感覚からすればずいぶん失礼な奴だという気がする。

奥野克巳は「感謝の言葉が人類に現れる以前の姿が、プナンの暮らしから想像されるように思われる」と書いているが、贈与をするものはされるものより社会的に優位に立つことをペナンの人たちも理解していないはずはない。そこで感謝の言葉を発すれば、権力関係が補強され固定化されることを、彼らは無意識的にではあれ恐れているのではないだろうか。権力をなるべく固定化させないためには感謝の言葉は発しない方が良い。それが彼らの生活の知恵なのだ、と私は思う。

その日暮らしの狩猟民には食料の蓄えがほとんどない。誰が捕ったものであれ、皆で平等に分けるのが、生き延びる最善の策なのだ。権力関係が発生して、食物の取り分に多寡が出ると、飢え死にする奴が出かねない。今権力を握っていても、権力の座を滑り落ちたら、次に飢えて死ぬのは自分かも知れない。

プナンの人たちは他人に物をねだられると惜しみなく渡してしまうみたいだ。プナンの社会では気前がいいこと、寛大であることが尊ばれ、最もそれをよく体現している人が「ビッグマン」と呼ばれるリーダーとなる。ビッグマンは次々に他人に物を与えてしまうので、誰よりもみすぼらしい格好をしているが、皆から尊敬され、彼の言葉は人々を動かす力になる。ポトラッチの贈与に多少は似ているが、Obligatory ではないところが全く違う。ビッグマンに少しでも財欲の兆しが見えると、人々は黙って彼のもとを去っていくという。

実はプナンの人たちにも財欲はないわけではないと奥野は言う。財欲は悪だと子供の時から教育され、財欲を持たない人こそ高貴であるとの社会規範を共有するようになり、それがプナンの人たちの生存を担保している。一方、多くの現代社会では、財欲は善であり、グローバル・キャピタリズムを支える原動力である。その結果、貧富の差は拡大し、財が溢(あふ)れる中で餓死する人が出てくる。人類は、はたして進歩しているのだろうか。

『クライシスマネジメントの本質』を読む

組織防衛と責任回避と事なかれ主義

『クライシスマネジメントの本質　本質行動学による3・11大川小学校事故の研究』（西條剛央、山川出版社）を読んだ。東日本大震災の津波に飲み込まれ、多数の死者を出した石巻（いしのまき）市立大川小学校の惨事はなぜ起きたか、という謎に迫った渾身（こんしん）のレポートである。

津波来襲時に、学校の管理下にあったのは88名。学校にいた児童76名（全校生徒108名のうち残りは欠席、早退、保護者が引き取りに来た等の理由により学校を離れていた）、教職員11名、スクールバスの運転手1名であった。

その中で生き延びたのは児童4名と教員1名の5名だけ。生存率僅（わず）かに5・6パーセントという未曾有（みぞう）の惨事となった。地震が起きてから津波到来まで50分の時間があり、学校のすぐ傍には校庭から走って1分で登れる裏山があったにもかかわらず、なぜそこに避難しないで、50分もの間、校庭に待機していたのか。いざ津波が来た時も標高がある裏山に避難しないで、北上川からほんのわずかに高いだけの三角地帯と呼ばれる場所を目指したのか。

西條は何度も事故現場に足を運び、関係者への聞き取りから、事故当時大川小の校庭で、児童や教員がどんな会話をしていたかを、できる限り忠実に再現して、事故は、多かれ少なかれ組織が陥りやすい、事なかれ主義、責任回避志向、前例主義、危機管理システムの杜撰さ等の多くの原因が積み重なって起こったことを明らかにしている。分析は緻密で、断片的なエビデンスを有機的につなげた力業で、並の努力でなし得るところではなく、大川小の事故のレポートとして、これ以上のものは望めないだろう。

このレポートに比べると、事故後の石巻市教育委員会の対応や、さらにその後、文部科学省主導のもと5700万円の費用をかけて行った「大川小学校事故検証委員会」の報告書は、事故原因を明らかにするというよりも、石巻市教育委員会の希望に忖度したもののようで、大金をかけて、単なるアリバイづくりのために行ったとしか思われない。その辺りの事情は本書に詳しく述べられているので、ぜひ紐解いてほしい。ここではさわりだけを紹介したい。

石巻市教育委員会の関心は「(大川小の児童が)避難できなかったのは仕方がなかったことにしたい」「亡くなった教員や教育委員会が責任を負わないで済むようにしたい」ということに尽き、これに忖度した検証委員会の関心も全く同じであったというのが西條の分析である。「山に逃げようと訴えた児童がいたことをなかったことにする」「複数の教員が山への避難を訴えたという証言をなかったことにする」「1分で簡単に逃げることができた裏山の存在をなかったことにする」「根拠となる調査記録、報告書、エビデンスを、吟味できないように隠蔽(いんぺい)したり、不都合な事実を削除したりした」等々といったもので、組織防衛と責任回避と事なかれ主義に支配されているという点では、責任を取るのが嫌で、裏山への避難指示をためらった大川小の指導者の心情と軌を一にする。

学校の完璧主義が裏目に

他にも本書の論点は多岐にわたるが、私の関心に引き付けていくつか私見を述べたい。たびたび津波に襲われた三陸(さんりく)地方には「津波てんでんこ」という標語がある。「津波が来たら、取るものもとりあえず、肉親にもかまわずに、各自てんでんばらばらに一人で高台に逃げろ」という意味だ。大川小学校でも地震の直後、一部の児童たちは裏山へ向かっていたというが、6年の担任に止められて校庭に引き返している。学校組織の論理としては「勝手なことはするな」ということだろうが、勝手にさせておけば少なくともこの児童たちは死なずに済んだことは確かだろう。

私は都立上野(うえの)高校に通学していた頃、受けたくない授業があると勝手にサボっていたし、残りの授業は全部受けたくないと思えば、勝手に早退していた。私たちは自主早退と言っており、早退届などは出さなかった。そもそも早退届なるものがあるかどうかもよく知らなかった。それでも、高校は崩壊せずに存続した訳だから、学校に雇われてもいないのに、勝手にするなという理屈が私にはよく分からない。

学校管理の論理としては、災害が起きたとしても、一人の犠牲者も出してはならないという建前があるのだろう。そのためには児童生徒を整列させて点呼を取り、全員安全な場所に避難させるという話になるのだろうが、大川小の事故のように安全だと思っていた場所が実は極めて危険な場所だった場合、ほぼ全員が犠牲になるわけで、この場合は一人の犠牲者も出すことなく、という完璧(かんぺき)主義が裏目に出たわけだ。

大川小を襲った津波にしても、校庭に避難する間もなくいきなり襲ってきたら、かなりの数の児童は裏山へ逃げたはずで、50分もの時間的余裕があったことがかえって命取りになったとも考えられる。地震発生から津波到達まで3～5分しかなく、津波警報が間に合わなかった1993年の北海道南西沖地震の奥尻島(おくしりとう)のようなケースであれば、教職員、児童のほとんどは一番近くの高台である裏山に逃げたに違いなく、犠牲者の数ははるかに少なくて済んだろう。

当時、校長は不在で、現場にいた中で最高責任者である教頭、補佐役の教務主任、安全担当の教諭という、その場で最も大きな決定権を持つ教員が、裏山への避難を主張したのに、学校の川向かいに住み、唯一学校に長期間（6年間）勤務していた6年の担任と、その場に居合わせた地域住民の、津波は来ないという思い込みに押されて、裏山へ逃げろという指示を出さなかったのが、事故の直接的な原因であるが、問題は責任者の3人の教員がなぜそのような心理状態になってしまったのかということであろう。

埋没コストに拘泥するのは命取り

西條の分析の中で、私が一番腑(ふ)に落ちたのは「埋没コスト」による説明である。埋没コストとは、回収ができなくなった投資コストのことで、埋没コストを避けたいというのは多くの人間が持つ心理なのである。賢い人間は埋没コストを捨てて、被害を最小限に食い止めるが、凡人は埋没コストに引きずられて、さらに被害を重ねることになり易い。

卑近な所では、株の損切がなかなかできないのもこの心理に起因する。現在の客観状況を判断して、この株はさらに下がると判断したら、損切する方が結局は埋没コストを最小に食い止める方途なのだが、凡人は客観的状況ではなく希望的観測を優先して、ドツボに嵌(はま)ってしまうことが多い。

最近では東京オリンピックの中止問題がまさにこの好例であろう。ワクチン接種が遅々として進まない日本で、オリンピックを開催するのは無謀であるというのがごく常識的な考えであるのは論を俟(ま)たないが、関係者は膨大な埋没コストを捨てることができずにいる。この埋没コストには経済的な面ばかりでなく、オリンピック開催に向けてここまで努力したのは、何のためだったのだという心理的な面も含まれている。

時間軸を遡(さかのぼ)れば、太平洋戦争は、埋没コストを切れなかったために、何百万の人の命を犠牲にした最悪の例である。ミッドウェー海戦に大敗したところで、日本が勝つ見込みはほぼなくなっていたにもかかわらず、それまでに費やした、戦費と人命と思考方法を捨てることができずに、一縷(いちる)の希望的観測にすがって、無益な戦いをずるずると続けて、最後はクラッシュして終わったわけだ。

西條もこの本で馬鹿げたことであると反対しているが、原発の再稼働問題にも、埋没コストを避けたいという心理が働いていることは間違いない。膨大な人的コスト、金銭的コスト、さらには政治的コストをかけて軌道に乗せた原発を今さら止められるかという心情に関係者がなるのも分からないではないが、原発の場合は、埋没コストよりも、次にクラッシュした時に支払うコストの方がはるかに膨大なのは自明なのだから、埋没コストに拘泥するのは命取りである。

6年の担任を含む学校周辺の住民が、ここまで津波は来ないと主張しているのに逆らって、児童を裏山に避難させても、結局津波は来ないで、児童の何人かが山に登る際に怪我でもしたら、自分の責任になり、今まで積み上げてきた信用が埋没コストになってしまうという恐れが、裏山への避難指示をためらった原因だったとの、西條の分析はその通りであると思う。

同時に、ここまでは津波は来ないという6年の担任と地域住民の主張も、心理的な埋没コストを恐れた結果だとも言える。自分が経験した限りでは、この地区には津波は来なかった。だから自分としては、津波は来ないと信じている。その信念を捨てて、教頭以下の指導層の教員の意見に従うのは、今まで培ってきた自分の経験からくる信念を埋没させることにほかならず、肯(がえん)ずることはできないというわけだ。

一番大きな背景要因は避難マニュアルの不備ということに尽きるが、一般的なマニュアルは突発的な危機の時にはあまり役に立たないことが多い。例えば、大川小学校の場合は「地震が来たらまず裏山に逃げろ」という事が一番大事で、その後は現場の判断で適当に処置してよい、で充分なのだ。全校の教職員と児童にこのことを徹底して、年に一度の避難訓練をしていれば、誰も死ななかったと思うと、まことに残念である。

今のマニュアルでは不備があるので、もっといいものを作れという事になると、マニュアルはどんどん長くなり、見てくれは立派になるが、結局は役に立たず、飾りのようになることが多い。いらない条項を削除した方が使い勝手はよくなることが多いのに、どうやら人は新しい項目を付けたすことには熱心だが、削ることはしたがらないという習性があるらしい。最近の「Nature」にそんな論文が載っていたけれども、長くなるので、その話はいずれまた。

承認欲求が満たされない人々

人間に特に強い欲求

地価があまり高くないせいか、自宅の周りは一戸建ての住宅が多く、夏の暑い日には庭にビニールのプールを持ち出して、小さい子を遊ばせているのを見かける。幼児がキャッキャ言いながら、騒ぎまくっているのは、真にほほえましいが、事あるごとに「ママ、見て、見て」と叫んでいるのを聞くと、ママでなくてよかったと思うと同時に、「三つ子の魂百まで」の魂とは承認欲求のことなんだとつくづく思う。

承認欲求は、人間に特に強い欲求だと思う。群れで暮らす霊長類にも多少は承認欲求がありそうだが、それ以外の動物に、純粋な承認欲求があるかどうかは定かではない。イヌやネコが飼い主に懐くのは、餌が貰えたり、安全な場所を提供してもらえたり、といった生存欲求に発するもので、純粋な承認欲求を持つかどうかは微妙であろう。

脳には報酬系という神経回路があり、その中枢は、中脳の腹側被蓋野・線条体のドーパミン神経だと言われる。ここには様々な脳領域から刺激が入力され、肯定的な感情が誘発される。食欲、性欲、睡眠欲などが満たされると、満足した、楽しかった、といった快感が誘発される。食べたり、交尾したり、眠ったりすることが快感でなければ、動物は生命を維持できないので、報酬系は生存のためになくてはならない神経回路である。

人間は、それらに加え、自分の存在を肯定的に認めてもらえたり、自分の行為を褒めてもらえたりすると、報酬系が働いて、楽しい気持ちになる。農耕を始める前の人類はバンドと言われる50人〜100人くらいの集団で暮らしていて、集団を離れることはほぼ死を意味したので、集団の構成員として承認されることは極めて重要であった。承認されるだけでなく、自分の行動が、集団の生存にとって何らかの役に立てば、集団内の自分の地位も安定し、その結果、自分と子孫の生存確率も上がるので、他者に褒められることも極めて重要であった。

ニホンザルの群れでも、ボスの座を維持するためにはメスたちにリスペクトされる必要があるようで、承認欲求が満たされると、報酬系が反応するのは、進化的に意味のあるシステムなのだろう。霊長類よりも下等な動物でも、群れを作るものは多いが、これは報酬系で維持されているというよりも、群れを作るべく遺伝的に決定されているのだと思う。

承認欲求のあり様も複雑

さて、人類が農耕を始めて、富の備蓄ができるようになると、人口は増大するが、貧富の差が広がって、格差は固定され、階級社会になってくる。指導者階級の人々は別として、大部分の農奴に近い下層階級の人々は狩猟採集生活をしていた時と違って、大勢の中の一人（one of them）となる。一番大事なのは生存することで、承認欲求は二の次になってくる。上の命令に従っているのが、生き残る最善の方途という事になったわけだ。こういう状況では、自分をかけがえのない構成員として認めてほしいという承認欲求を顕わにするのは危険である。承認欲求が消え失せたわけではないが、承認欲求を顕わにするのはほとんどの人にとってはタブーになったのである。

さて、現在のように社会が複雑になってくると、承認欲求のあり様も複雑になってくる。幼い子どもは両親に承認されることで、人生最初の承認欲求を満たすことができる。幼い子を褒めて承認欲求を満たしてあげるのは、その子の将来にとってもとても大事なことだ。承認欲求に飢えていると、自分を承認してくれる人や組織がたとえいかがわしくとも、

「自分のことを初めて認めてくれた」という喜びから、その人や組織のためにいきいきと働くようになる。

新興宗教にのめり込む人を見て、多少なりとも承認欲求が満たされている普通の人は、「なんで、あんな非科学的な教義を信じるのか、不思議だ」と思うだろうが、新興宗教にのめり込む人は、少なくとも最初は、教義を信じた故に信者になったわけではなく、承認欲求を満たしてくれたからこそ信者になったのである。

暴力団のような反社会的な組織に入る若者も、自分を認めてくれる（と本人が思った）組織に初めて出会ってのめり込んで、そのうち抜けられなくなったのだろう。もちろん承認欲求は悪の道の入り口ばかりでなく、科学や芸術の発展の原動力でもある。学者が寸暇を惜しんで思索に耽ったり実験に励んだりするのは、素晴らしい成果を出して、社会的な地位と人並み以上の収入を得たいという欲求もさることながら、同業者に認められたいという承認欲求の方が動機としては強いと思う。

ピアニストやヴァイオリニストが毎日毎日飽きもせず、練習に励むのは、演奏をするのが純粋に好きという事ももちろんあるだろうが、いい演奏をして演奏会で褒められたいという動機の方が大きいだろう。学門や芸術の分野には、学者や芸術家の承認欲求を満たすべく様々な賞がある。賞を貰えるかどうかは、才能ばかりではなく運もあって、賞を貰えた人の方が貰えなかった人より、必ずしも優れているとは限らないが、普通は賞を貰えれば嬉しいだろうし、それを目的に頑張る人もいる。但し、様々な政治的な配慮があって、この人がなぜ貰えないのだろうということもある。村上春樹はノーベル賞を貰えそうもない。別に悲しくもないだろうが。

自分に自信があって、評価してくれる人が一定数いれば、承認欲求は満たされるので、村上春樹ほどでなくとも、家族や組織（学校や会社）が自分の存在と価値を、ある程度認めてくれれば、承認欲求という観点からは、人は欲求不満にならなくて済む。問題は、家族からも社会からも疎外されて、認めてもらいたいのに認めてもらえないと思っている人だ。先に述べたように、周りが全部自分と同じ農奴のような生活をしていれば、承認欲求で身を焦がすこともない。承認欲求が顕わになるのは、周囲の人々との比較において、羨望と嫉妬が起きるからである。自分も脚光を浴びているあの人のようにみんなに褒められたい。

1000万人を擁した国防婦人会

先ごろ、NHKで放送された「NHKスペシャル　銃後の女性たち～戦争にのめり込んだ〝普通の人々〟～」について、イギリス在住の作家・ブレイディみかこが「エンパシーの搾取」をキーワードに戦争賛歌にのめり込んだ当時の「大日本国防婦人会」の女性たちの活動を読み解いている。兵士への「エンパシー（相手の立場を慮る能力）」に基づき善意の活動をしていた女性たちを、当時の軍部が搾取して、国民を挙げての戦争に協力させたというのが、ブレイディみかこの見立てである。私は放送を見ていないが（私は基本的にテレビを見ない）、関連している記事を読むかぎりでは、「エンパシー」よりも承認欲求をキーワードにして読み解いた方が実相に迫れると思う。

当時の主婦は、夫と舅、姑にはほぼ絶対服従で、家庭にも社会にも自分を独立した個人として扱ってくれる場はなかった。別言すれば承認欲求が満たされる場はなかったのである。当時の主婦の社会的立場は、皆同じようなもので、ほとんどの主婦は承認欲求とは無縁な生活をしていたのだと思う。

国防婦人会は、満州事変の次の年の1932年、大阪の港町の主婦が、何の見送りもなく出征していく兵士を不憫に思い、お茶をふるまって兵士を応援しようと思いつき、近所の主婦たちと共に大阪国防婦人会を設立したのをもって嚆矢とする。会は僅か2年で会員40人から54万人までに膨れ上がり、最盛期には１０００万人を擁する巨大組織になった。

ここまで隆盛になった要因は、国防婦人会の集会に行くと言えば、大手を振って家を空けられたからだ。家人は家事をほっぽり出して国防婦人会に出かける主婦を苦々しく思っていたかもしれないが、お国のためという錦の御旗の前では、文句を言うわけにはいかなかったのだろう。国防婦人会のリーダーたちは、皆の前で、銃後の婦人のあり方などの演説をして、大勢の人が自分に注目してくれるのを見て、承認欲求がことのほか満たされたに違いない。自宅で、夫や姑にこき使われていた時とは雲泥の差だ。

中にはいやいや参加していた主婦もいたと思うが、お国のために頑張ろうと言われると断り辛い。リーダーたちはあれこれと指図して気持ちよかったに違いない。声高に主張したことは軍部の受け売りで、自分の頭で考えたわけではないが、繰り返し大勢の前で演説していると、自分の考えだと錯覚してくる人もいただろう。承認欲求にとって大事なのは、多くの人が拍手喝采してくれることで、中身はどうでもいいわけだから、何も考えずに、録音テープのように同じ話をしていた人もいたかもしれない。

SNSとバッシング

ところで、脳の報酬系は一般には報酬が満たされれば、それ以上の報酬を求めなくなるが、場合によってはさらに報酬を求めて依存症になることもある。食欲や性欲は満たされれば、とりあえずは、そこでいったん止まる。承認欲求とて例外ではないが、様々な事情があって、止められなくなってしまうこともある。教団や結社であれば、抜ければ裏切り者の烙印(らくいん)を押されるだろうし、時代の正義の物語に加担している場合は、周囲の眼が怖くて降りられないことも多いだろう。国防婦人会に参加した婦人たちも最初は承認欲求が満たされて楽しかったかもしれないが、途中で飽きても、降りることが叶(かな)わなかった人も多かったと思う。

一方で依存症になった人もいたと思う。アルコール依存症やセックス依存症は報酬系の神経回路のタガが外れて、報酬が与えられても満足せずに、更なる報酬を次々と求める病気である。承認欲求にも依存症はある。国防婦人会のリーダーたちの中にも、承認欲求依存症に罹(かか)って、過激な発言をエスカレートさせていった人もいただろう。敗戦で正義の物語が180度ひっくり返って、承認欲求依存症の人は新たな物語に飛びついたのか、昔の不明を恥じておとなしくしていたのか、それとも、国防婦人会の理念を未(いま)だに胸に秘めていたのだろうか。

現在、承認欲求に飢えている人が蝟集しているのはSNSである。以前、羽生善治永世7冠の妻の理恵さんが、SNSでの夫への誹謗中傷に毅然として対応する旨の宣言をしたというニュースを見たが、有名人を誹謗中傷するのは、承認欲求を満たされている人に対する、承認欲求に飢えている人の妬みで、〝いいね〟が沢山つけば、多少は自分の承認欲求も満たされるから、なかなか後を絶たない。訴えられると怖いのでこの手の投稿はまず匿名である。

韓国や中国や日本共産党へのバッシングは賛同者が一定数以上存在して〝いいね〟が沢山つくので、内容のない紋切り型のバッシングを続ける人は、承認欲求依存症の患者だと思って間違いない。承認欲求が満たされていない人が多すぎるのだろう。匿名の投稿を禁止しろ、という意見もあるが、経済の低迷と政治の劣化と教育制度の硬直化を止めない事には、根本問題は解決しない。はて、どうしたものか。

地獄への道は善意によって敷き詰められている

状況次第で善悪は変わる

私が若かりし頃、「アフリカで飢えに苦しんでいる人に、ほんの僅かでもよろしいので募金をして下さい」というような趣旨のことを話して、戸別訪問してお金を集めている人を時々見かけた。私は、インチキに違いないと思っていたので、その手の募金はしたことがない。実際、集めた募金をネコババしている人もいると聞いた。

当時の友人にその話をしたら、友人のお母さんも時々、募金していたそうで「そんな金があるなら、俺にくれ」と言ったら、「お前は可哀そうじゃないからいいんだよ」と返事されたと言う。多くの人にとって、可哀そうな人を助けるのは良いことなので、自分の身に災難が降りかからない限り、少額の募金をするのは普通の行動なのだろう。根っからの善意の人は、騙されているかもしれないとは考えないのだろう。

私がもっと小さかった頃は、母親や叔母に連れられて上野公園に花見などに行くと、上野駅の不忍口から西郷隆盛の銅像に行く幅の広い階段の両脇に、傷痍軍人の方たちが陣取って、お金の無心をしていた。叔母は、戦争での悲しい思い出があるようで、何人もの傷痍軍人に小銭を渡していた。後に、小遣い稼ぎでやっている人もいると人づてに聞いた。傷痍軍人の方々はほぼ鬼籍に入られたのだろう。今はこういう風景を見かけることはない。

昔から、「性善説」と「性悪説」という考えがあって、「性善説」は孟子が唱えたと喧伝されている説で、「性悪説」は孟子に対抗して荀子が唱えたとされる。

性善説はヒトの本性は善で、悪は後天的な環境要因のなせる業だと考える。単純に言えば「朱に交われば赤くなる」ということだ。一方、性悪説はヒトの本性は悪で、善を為すのは教育の成果だと考える。

しかし私は、ヒトの本性が、善か悪かという問いそのものが、そもそも間違っていると思う。人は状況に応じて、善人にもなれるし、悪人にもなれる。人は時になりふり構わず、お金や物や権力を得たい、と思うこともあるし、その同じ人が、他人にやさしいふるまいをすることもある。同じ個人でも状況次第で、どちらの行動を取るかは異なるのだ。

感謝される快感

多少のコストは承知の上で、他人を助ける行動を生物学的には利他行動という。生物は通常、自分の生存可能性と繁殖可能性を最大化するように行動する。これは利己行動である。利他行動はこれに反するので、生物学者は長い間、野生動物の利他行動をうまく説明できなかったが、生物は、自分の生存可能性を最適化するのではなく、自分の遺伝子の生存可能性を最適化するのだ、というパラダイムチェンジによって、この問題を解決した。自分の遺伝子を沢山有している可能性が高い個体（子や孫）を助けるのは、まさにこの故である。

生物は血縁関係にない群れの個体を助けることもある。人間の言葉で言えば、困った時はお互い様だ、ということだ。これを「互恵的利他主義」という。ヒトの利他行動の一部はこれで説明できる。今、恩を売っておけば、将来見返りがあるはずだ、という話である。選挙で、自分の当落に関係ない候補を応援する政治家の行動は、この典型であろう。然るに、本項冒頭に記したような見知らぬ人を助けても、見返りは期待できない。これはどうしたものか。

多くの人の脳では、誰かに感謝されると心地よくなる報酬系が働いている。これは承認欲求の一つで、ヒトは、感謝されたり、褒められたり、認められたりすると、A10神経からドーパミンが分泌され、快感が生じるようになっているのだ。報酬系は一度形成されると、依存性になり易く、ギャンブル依存症も、甘味依存症も、アルコール依存症もなかなか治らない。

同じように感謝・承認依存症も一度形成されると、なかなか治らない。こういう人にとって、みんなの見ている前で、誰かに感謝されたり認められたりするのは快感なのだ。時々、デパートなどでの買い物が止められなくなってしまう人がいる。店員に下にも置かないもてなしを受けて、感謝される快感に溺（おぼ）れてしまったのだ。程度の差こそあれ、傷痍軍人にお金を渡して、感謝された叔母の脳内にもドーパミンは分泌されたに違いない。

怒る人もいるかもしれないが、ボランティアをやっている人の多くは、感謝されるのが嬉しいのだと思う。全く誰にも知られずに、ボランティアをはじめとする、利他行動をする人は多くない。高尾（たかお）駅から自宅に帰る途中に、自転車置き場の横を通る、多少薄暗い径（みち）がある。飲み屋のすぐ側なので、酔っ払って立小便や嘔吐（おうと）をする人が後を絶たないのだろう。「立小便禁止」「嘔吐禁止」という看板が掲げてある。「誰かが見ているぞ」という大きな眼を書いた看板も掲げてある。誰かが見ていれば、確かに立小便や嘔吐をする人は減るかもしれない。

いかにも日本的だなあと私は思う。毀誉褒貶（きよほうへん）は他人との関係の中で生ずる。誰にも知られなければ、良いことをしても褒めてくれる人はいないし、悪いことをしても糾弾する人はいない。これは日本人の多くが無宗教であることと関連しているのかも知れない。一神教を信じている人たちは、他人の眼がなくても神様が見ているので、一人でいる時でも、行動にある程度の抑制がかかるのであろう。

職場や学校という閉鎖空間

ボランティアにしてもそれ以外の利他行動にしても、それをするにはお金か時間か、あるいはその両方がかかる。すなわちコストがかかる。それに見合った脳内の報酬があればよいが、そうでないことも多い。その時は利他行動をやめればいいのだが、職場や人間関係がタイトなコミュニティでは、なかなか難しい。任意のコミュニティの場合はやめてしまうという手もあるが、職場ではなかなかそうもいかない。

一例を挙げれば、義務教育学校の部活動の顧問は、勤務時間外には部活動に付き合う義務はないのだが、実際は、ほとんどの顧問は無給で勤務外の部活動に付き合わされていると思う。なぜそうなるのだろう。私は昔高校の教員をしていたから、少しはわかるのだが、クラブ活動の顧問が生きがい、といった教員がいるんだよね。そういう教員は率先して無給の時間外顧問を引き受けて、校長や教頭の受けもよく、部活動の部員にも信頼されることが多い（威張ってばかりで嫌われている顧問もいるけれどね）。

大多数の教員は時間外の部活の顧問はやりたくなくとも、それが生徒のために良いことだと言われると、嫌だとは言い難い。不思議なことに、学校では生徒のためだという声は、水戸黄門の御印籠のようなもので、何となく逆らうことは難しい。学校という特殊な閉鎖空間に漂っている風によって、いやいや時間外の顧問を引き受けざるを得なくなる。

これは一例に過ぎず、学校ではこれと同じような、生徒のため、あるいは良い教育を推進するため、といった反対するのが難しく、コストの割にはベネフィットがほんの僅かなブルシット・ジョブ（役に立たない無駄仕事）が沢山あるのだろう。こうして、一部の学校はブラック職場になるのである。もちろん最初は善意から始まったのであろうが「地獄への道は善意によって敷き詰められている」のである。

この諺が最もふさわしいのは人為的地球温暖化論である。環境を守らなければならないという人々の善意に付け込んで、この説を後押しする政府機関や企業は、国民から多額の金を搾り取っているが、多くの国民は未だに良いことに加担していると思って、脳内にドーパミンが流れ、騙され続けている。しかし、この話は長くなるので、ここではこれ以上はしない。

正義の風が吹いた後で

ロシアのプーチンがウクライナに侵攻して以来、世界はプーチン・バッシング一色で、ウクライナを支援するのが当然といった正義の風が吹いているが、これは結構危険な兆候である。もちろん、プーチンの暴挙を糾弾するに吝(やぶさ)かではないが、ウクライナを支援するにしても賛成できるものもできないものもある。極端なことを言えば、ウクライナを支援するために武器を供与すべきだと主張する人がいたとしよう。武器を輸出して儲けたい人はこの風を最大限利用して、武器の供与を正当化すべく、様々なメディアを使ってプロパガンダに努めるだろう。

もし、そうなったとして、最初は、ウクライナに限って武器を供与するという話から始まるだろうが、そのうちなし崩し的に、武器を外国に売ってもOKということになりかねない。それ以外にも、外国の侵略から日本を守るために核武装すべきとか、その他もろもろの、正義の風を利用した政治的、経済的な火事場泥棒的な提案がなされ、お人好しでナイーブな国民は、余程注意しないと騙されそうだ。正義の風の下に行われた提言が一度法制化されると、事態が変わっても法律は残り、権力はこの法律に基づき国民を支配し、一部の人は多額の経済的利益を得る。損するのは一般国民ばかりとなる。

そういうことになる最大の生物学的理由は、悪をくじき正義に味方するという物語は、先に述べたように、A10神経からドーパミンを分泌させ、心が気持ちよくなるからである。困ったことに、報酬系は感謝される時ばかりでなく、悪をバッシングしている時にも働くので、ロシアが悪いと思い込んだ人の一部は、プーチンばかりでなく、ロシアにまつわるすべての物事をバッシングすることで、報酬系が働いて気持ちよくなってしまうのだ。かくして、ロシア料理店を悪しざまに言ったり、プーチンの侵攻に何の決定権も持っていない日本在住のロシア人を罵倒したりするようになるのだ。「坊主憎けりゃ袈裟まで憎し」といった諺はヒトの感情を言い当てて見事だけれども、世界と人類はいったいどこに向かっているんでしょうね。余命いくばくもない私が心配しても仕方がないけれどどね。

Ⅳ 生物の深イイ話

生物も社会も異質な他者と交わることによって進歩する

ノーベル賞級の細胞内共生説

生命が発生した後で起きた最大の事件は、恐竜の絶滅でもなければ、人類の出現でもなく、真核生物の出現である。真核生物の起源として、現在最も有力な説はリン・マーギュリスが提唱した細胞内共生説である。この説を主張した彼女の論文は、当時の主流の学説だったネオダーウィニズムの教義に抵触していたため、15回の掲載拒否の憂き目にあったのち、1967年『Journal of Theoretical Biology』に掲載された。

私見によれば、この共生説はダーウィンの自然選択説に匹敵する、進化論史上最も重要な学説で、本来ならば超ノーベル賞級の業績だが、彼女は晩年、9・11事件の陰謀説(9・11の同時多発テロにアメリカ政府が何らかの形で関与していたとの主張)に加担して、科学者社会から白い目で見られていたこともあってか、結局ノーベル賞は貰(もら)えずに73歳で亡くなった。

　共生説は、大きな古細菌と小さな真正細菌（ミトコンドリアや葉緑体の祖先細菌）が共生して、真核生物になったという説である。大きな古細菌の中に小さな真正細菌が入り込み（おそらく、大きな古細菌が小さな細菌を食べようとしたが、消化しきれず）、そのまま共生を始めて、真核生物という画期的な生物に進化したという説だ。異質なものが交じり合うことで、新しい生命体が進化するという考えは、生物は同種以外の他の生物とは交雑せずに、徐々に進化するというダーウィン流の進化論からははるかに隔たったものだ。

　生物であれ人間社会であれ、画期的なことやものは、多くの場合、異質なものが出合ってコミュニケートして共生することによってもたらされる。異質なものを取り入れずに、旧来のやり方を墨守している限り、環境からのバイアスにより徐々に変わることはあるにしても、画期的な変化は望めない。

　変わるためには異質な他者とのコミュニケーションが不可欠だ。もっと強く言えば、コミュニケーションとは他者と意見を交換することではなく、それによって、自他ともに別のものに変わっていくことなのだ。

　真核生物が生まれなければ多細胞生物も生まれず、脊椎（せきつい）動物も哺乳（ほにゅう）類も人間も誕生しなかったわけで、20億年以上前に細菌（原核生物）同士の共生により真核生物が作られなければ、生物の世界は未だに細菌だけの世界であったはずだ。細菌が突然変異と自然選択により進化するだけでは、どんなに時間をかけても真核生物は現れなかったろう。

「新しいものはすでにあるものの新しい組み合わせから生じる」というのは構造主義の重要なテーゼの一つだが、これは真核細胞の誕生といった大事件から始まって様々なレベルでみられる。異質なものを受け入れず孤塁を守っているのは、多くの場合滅びへの道であるし、滅びないにしても発展しないことは確かである。

交雑は生き残るための大切な出来事

承知している人も多いと思うが、10万年前から7万年前に波状的にアフリカを出てユーラシアに進出したホモ・サピエンスは先住民のネアンデルタール人と交雑した。アフリカに留まったホモ・サピエンス以外のすべての現生人類は全ゲノム中に数パーセントのネアンデルタール人のDNAを有している。最近の研究によるとハイブリッドの中にはアフリカに逆戻りした人もいるようで、アフリカ人からもネアンデルタール人のDNAが検出されることがあるという。

アフリカ人以外のすべての現生人類は1パーセントから5パーセントくらいのネアンデルタール人由来のDNAを有しているということは、ネアンデルタール人と全く交雑しなかった人たちは絶滅してしまったということだ。ネアンデルタール人から引き継いだ最も価値あるゲノム断片は、おそらく耐寒性のDNAで、これを有していなかった人は、ウルム氷期（7万年前から1万年前までの最終氷期）の酷寒に耐えることができずに、徐々に衰退してついには絶滅したのであろう。真核生物の起源ほどにはドラスティックではないにしても、ここでも異質な他者と交じり合った人の子孫は大成功したのである。

外来生物が日本に入ってきて在来の生物と交雑することを、遺伝子汚染といって忌み嫌っている人たちがいるけれども、生物種にとって交雑は生き残るための大切な出来事で、純血を守っている種は環境変動によって滅びる確率が高くなる。京都の鴨川（かもがわ）水系には巨大なオオサンショウウオが生息しているが、その90パーセント以上は在来種のオオサンショウウオとチュウゴクオオサンショウウオのハイブリッドである。50年ほど前に食用として持ち込まれたチュウゴクオオサンショウウオが逃げ出して野生化して在来のオオサンショウウオと交雑したようだ。ハイブリッドの方が純血種よりも鴨川の環境に適応的なのだと思われる。あと数千年も経てば、日本中のオオサンショウウオはすべてハイブリッドになるに違いない。

なぜ一部の人間は純血を守ることにそれほど拘るのか私にはよく分からない。アーリア人の純血を守ろうと無駄な努力をしたナチスも結局滅んでしまったわけで、純血の人種というのは幻想なのだ。

もちろん純粋な日本人などはいない。日本人は、基本的には、古くこの列島に渡ってきた人たちの子孫、いわゆる縄文人と、比較的最近、水稲農耕技術と共に大陸から渡ってきた、いわゆる弥生人の混血で、それ以外にも様々なＤＮＡが混ざったハイブリッドで、単一の日本民族などというのは妄想なのだ。

恐るべき可塑性を備えた乳幼児の脳

異質なものが交わった時に新しい可能性が開けるのは生物の進化ばかりでなく言語もそうであるようだ。お互いに異なる言語を喋る人が、交易などで意思疎通を図るために編み出した言語をピジンというが、ピジンは互いの言語が混じったちゃんぽん言語で、一貫した文法体系を持たない。しかし、ピジンを聞いて育った子供たちは、ピジンを基に一貫した文法体系を持つ独自の言語を作り上げる。これをクレオールという。新しい言語が二つ以上の異なる言語の交雑により生じることもあるのだ。日本語は系統関係がよく分からない孤立言語だが、クレオールかもしれないという主張もある。

最も感動的なクレオールは、ニカラグアの聾（ろう）学校で発生したＩＳＮと呼ばれる手話言語であろう。ニカラグアでは１９７９年に初めて聾学校が設立された。入学した生徒たちはシムコム（健常者が聾者との意思疎通の手段として発明した人工的な手話）と口話（相手の唇の動きを読んで、自分も声を出す話し方）を教えられたが、この二つは聾者同士の意思疎通の手段としては極めて不適切であったため、聾者は自分の家で使っていたその場しのぎの身振り手振りを互いに披露しながら、ＬＳＮと呼ばれるピジンに相当する手話言語を作った。ＬＳＮを作ったのは10歳前後の子供たちだと言われている。その後で、4歳から5歳くらいの生徒が入学してくると、彼らはＬＳＮを基にＩＳＮと呼ばれる完全な手話の自然言語を作り上げたのである。

母語（完全な自然言語）を習得する能力のピークは8歳くらいまでで、10歳を過ぎるとその能力は急激に衰える。ニカラグアの聾学校で10歳くらいの子供たちが、それぞれの家庭で使っていた手話を持ち寄ってＬＳＮを作った時、彼らはおそらく完全な言語を作る能力を喪失していたのであろう。その後で入ってきた4歳から5歳の子供たちは、自身の言語野に完全な自然言語を作り上げる能力を持っていたので、短期間でISNを作ることができた。その後で、入学した子供たちは、短期間でISNを使えるようになったという。聾者に限らず、乳幼児たちは、周りの人々が使っている言語を基に、その言語に極めて近い（ほぼ同じ）自然言語を自分の言語野に構築する能力を有している。

乳幼児の脳は恐るべき可塑性を備えていて、ニューロン同士をシナプスで結び付けたり、そうかといえば一度作ったシナプスを潰したりしながら、機能的な脳を作り上げていく。脳は外部からの刺激により、どんどん発達したり変化したりする。他者とコミュニケーションしなければ、言語脳は縮退してついには機能しなくなる。コミュニケーションは発達と変化の原動力なのだ。ここでも異質なものと交わらないのは滅びへの道なのである。

脳の老化がもたらすもの

残念ながら10歳を過ぎるころから脳の可塑性は徐々に衰えてきて、大人になるころには、人によっては異質な他者を決して受け入れることをしない頑迷固陋な脳に変化する。頑迷固陋な脳になったので異質な他者を受け入れられなくなったのか、異質な他者を受け入れないので、頑迷固陋な脳になったのかは微妙なところだけれどね。

人間と動物の大きな違いは、動物は脳の可塑性に乏しく、本能的な行動以外の新しい行動を開発することをほとんどしないが、人間は他者とのコミュニケーションによって様々な可能性を追求できることだ。別言すれば、動物はある状況に置かれたときに、最もエネルギー効率のいい行動を取って、他者と無駄なコミュニケーションをしないが、人間は一見無駄と思えるようなことにでも、積極的に立ち向かうということだ。それによって人類は新しい可能性を開いてきたのだ。

霊長類学者の正高信男（まさたかのぶお）が、企業の広告誌（三洋化成ニュース、２００７年春号）で語っていた話だが、サルの赤ちゃんはおっぱいを吸うとき一気飲みをして途中で休まないが、人間の赤ちゃんは母乳の時も哺乳瓶の時も、必ず途中で吸うのを休むという。お母さんは子供が休むと「よしよし」といって体をゆすってやるという。それで、お母さんと赤ちゃんはコミュニケーションをしているわけだ。お母さんが無視したりすると赤ちゃんの脳は上手（うま）く発達しないのではないかと思う。

エネルギー的には一気飲みの方が効率がいいのに、わざわざ休むのが面白い。人間は生まれつき、他者とのコミュニケーションを通して、新しい自分を作っていく衝動を持っているのではないかと思う。それが一部の人たちでは、ある年齢になると、異質な他者は絶対に受け入れないように脳が変貌するのはなぜなのか。脳の老化であることは間違いないが、治す方法はあるのだろうか。

一卵性双生児の遺伝情報は必ずしも同一ではない

性格、趣味、好みはかなり異なる

一卵性双生児はゲノム組成が全く同じクローンだと言われていて、多くの人はそう信じていたと思うが、実は「一卵性双生児の遺伝情報は必ずしも同一とは限らない」ということが実証されつつある。もちろん、受精段階ではゲノム情報は一意に決まっているので、一卵性双生児間のゲノム情報の違いはその後のプロセスで生じたに違いない。

人間の形態や行動やその他もろもろの形質を決めるのは、氏か育ちかという昔からある問いに答えるべく、一卵性双生児の育った環境の違いを調べる研究が熱心に行われてきた。一般に身長や顔かたちといった身体的特徴は一卵性双生児間でよく似ているが、性格や趣味や好みは、かなり異なることが分かっている。

私が山梨大学に勤めていた時、校庭ですれ違った際に声をかけた生物学教室の女子学生が、けげんな顔をしていたので、次の日の講義の後にそのことを話したら、「私ではなくて、国文学教室の双子の姉です」と言われたので、「それは、けげんな顔をするわな」と納得した。私から見れば、そっくりなのだが、本人たちは、あまり似ているとは思っていないようだった。いつも一緒にいると、同じ所よりも違う所に敏感になるのだろう。

一般に一緒に育てられた一卵性双生児は、趣味や進路が異なることが普通である。それは双子にとって、片割れの存在が最大の環境要因で、お互いに相手を意識して、なるべく違うことをしたいからだろう。環境が全く同じである一卵性双生児の性格が、全く違うというのもよくある話で、例えば、１８７８年チェコスロバキアで、臀部（でんぶ）結合双生児の姉妹として生まれ、美貌に恵まれ、「ボヘミアン・ツインズ」として注目を集めたローザとジョセファの性格は全く違い、ローザは社交的だが、ジョセファは内向的であった。

一方、別々に育てられた一卵性双生児は趣味や行動パターンが驚くほど似ているという話もある。ジム・ルイスとジム・スプリンガーという一卵性双生児は生後すぐに引き離され、別々の家庭で育てられたが、39歳の時に再会してみたら、乗っていた車の車種も、好みのタバコやビールの銘柄も同じ、最初の奥さんの名前も、離婚した後で再婚した奥さんの名前も同じ、息子の名前も、飼っているイヌの名前も同じだったという。いささか眉唾（まゆつば）

ものの話だけれど、他にもこの手の話は沢山あり、一卵性双生児は別々の環境で育てられた方が、趣味や行動パターンが似てくるというのは本当のようだ。

というわけで、一卵性双生児の研究から、身体的特徴は遺伝的に決まり、それ以外の性質の発現には後天的なバイアスがかかってくるという定説が広く信じられていたが、一卵性双生児の各々の遺伝子が多少違っているとなると、話はそう簡単ではなくなってくる。

運命のわかれ目はいつか

多くの人は、一卵性双生児は、受精卵が二つの細胞に分裂して、そのそれぞれが独立の人間に育つ、と思っているようだが、分割する時期は、受精卵が細胞分裂を始めて細胞の塊である桑実胚（はい）になった後で、分裂する時期の違いによってその後の運命が違ってくるようだ。

胎児は、胎盤の一部を形成する絨毛膜（じゅうもう）とその内側の羊膜で保護された中で成育していく。受精後、3日以内の桑実胚の時に胚が分裂した場合は、それぞれの胚は、一つの絨毛膜と一つの羊膜の中で育つ。子宮の中に胎盤が二つできて、それぞれ独立の羊膜のなかで育つわけだ。一卵性双生児の約25パーセントはこのタイプだと言われている。ほとんどの二卵性双生児も同じタイプである。このタイプは二絨毛膜二羊膜と呼ばれる。

ところが、受精後4日~7日の間に分裂した場合は、一つの胎盤を共有して、別々の羊膜の中で育つ。一絨毛膜二羊膜である。一卵性双生児の約75パーセントはこのタイプだと言われている。さらに遅れて8日~12日の間に分裂した場合は、二つの胚は胎盤も羊膜も共有して、一絨毛膜一羊膜になる。このタイプは約1パーセントと言われる。13日以降になると、先に述べたローザとジョセファのように、一つの羊膜の中で、体が完全に分離せずに、結合双生児になる。結合双生児は約5万~20万件に1組の割合で生まれてくるようだ。一絨毛膜の胎児は胎盤の中で、血管が吻合(ふんごう)して血液が行き来するため、時に母体からの血液供給が片方にのみ偏り、胎児が危険な状態になることがある。

ところで、突然変異は細胞が分裂する時、すなわちＤＮＡが複製される時に起こりやすいことが分かっている。ＤＮＡの複製は複雑なプロセスで、時に完璧(かんぺき)に行われないからである。胚の初期発生時には細胞が盛んに分裂しているので、突然変異が起こりやすい。一卵性双生児が分裂する前に起こった突然変異は、共有される確率が高くなるが、分裂後に起こった突然変異は共有されず、結果的に、一卵性双生児の個々の遺伝情報が異なる確率が高くなる。さらに、発生の初期段階で生殖細胞系列が体細胞系列から分離するが、分離以前に起こった突然変異は二つの系列に共有され得るが、分離後に起こる突然変異は共有されない。

胎盤を共有するか否か

私は、かつて一卵性双生児は誕生時に必ず同一であるという仮定は間違っていると主張する本を訳したことがある。デイビッド・S・ムーア『遺伝子神話の崩壊』（池田清彦・池田清美訳、徳間書店）である。

「20年以上前、M．メルニック、N．C．ミリアンソポウルス、そしてJ．C．クリスチャンは、アメリカ人の白人集団において、子宮で胎盤を共有する一卵性双生児は、独自の絨毛膜をそれぞれ発達させる一卵性双生児よりずっと似通ったIQを持ちやすいと報告した。１９９５年にはD．K．ソコルのグループが、４歳から６歳までの一卵性双生児の集団において、胎児期に絨毛膜を共有していた者たちは、独自の絨毛膜を発生させた者たちより20の異なる性格の要素がずっと似ていたと報告している。そのような結果は、性格や知能のような心理的な変異だけに制限されていない。K．ビークマンのグループは近来、誕生時の体重、双子の片割れ同士の間での体重の違い、性比、そして生まれつきの異常の種類と頻度等々の生物学上の違いは胎盤構造の種類に関係がある、と報告した。かくして、大量ではないが、手に入るデータは確実に、子宮における経験はいくつかの形質の発達に影響を与えるという考え方を支持するのである。これらの発見は、いわゆる一卵性双生児は誕生時に必ず同一であるという考えを反故にする」(同書、123ページ)。

この時点で、著者のムーアは胎盤を共有するかどうかという子宮内の環境を重視しているが、もしかしたら、胎盤を共有する場合としない場合では、双子の遺伝子の共有確率が異なるせいかもしれない。すなわち、受精後、早い時期に分離した、二絨毛膜二羊膜の場合は、それぞれの双子が独立の突然変異を起こしている確率が、遅い時期に分離した、一絨毛膜二羊膜あるいは一絨毛膜一羊膜の場合よりも高いのだろう。別言すれば、胎盤を共有している双子の方がより似ているのは、遺伝子の共有確率が、胎盤を共有していない双子より高いせいかもしれない。

植物のしたたかな生殖戦略

生物は生きている間に次々に突然変異を起こすので、一卵性双生児と雖も、必ずしも遺伝情報が全く同じにはならないのは、よく考えてみれば当然ということになる。クローンも同様に全く同じ遺伝情報を持っているとは限らない。ただ先に述べたように、生殖細胞系列と体細胞系列は発生の初期に分離するので、その後で起こった体細胞突然変異は、生殖細胞系列に影響を与えず、体細胞突然変異が子孫に伝わることは有性生殖をする生物では起こりえない。例えば、がんは体細胞に生じた突然変異で生じるが、この突然変異は生殖細胞には伝わらない。家族性のがんの場合は、生殖細胞系列にがんになり易い遺伝的変異があり、これは次世代に伝わる。

しかし、無性生殖をする生物では話は全く違ってくる。多くの植物は栄養生殖をするので、体細胞に起こった突然変異は遺伝して、次世代の個体に伝わる。同じ個体から栄養生殖で増殖したクローンでも遺伝的組成が異なることもあるのだ。私の自宅に「筑波嶺（つくばね）」と勝手に名付けたセッコク（蘭の一種）の鉢植えがある。40年以上前に茨城県の取手（とりで）市に住んでいた頃、筑波山に遊びに行って、お土産屋でセッコクを1株買ってきたのが、未だに健在なのだ。最初はなんの代わり映えもしない普通のセッコクであった。

それが、30年ほど前に芽条変異を起こして、華奢（きゃしゃ）なセッコクから太い茎と大きな葉を持つ新子が出てきたのである。次の年に花が付いた。洋蘭のシンビジウムのような白い花びらで舌に大きな紅点を持つ立派な花だ。親株につく花とは全く違う。洋蘭のシンビジウムのような姿なのに、厳冬期に零下になるところに置いておいても枯れずにどんどん殖えて、もう何株にもなり、私のセッコクの中では一番元気である。

大きくなったのは、おそらく芽条変異で突然変異を起こし、新しい芽が4倍体になったからだと思われる。染色体が倍に増えただけで、遺伝子自体が変わったわけではないので、寒さに強い性質は変わらなかったのだろう。芽条変異は枝変わりとも呼ばれ、果樹や野菜などの栽培植物の品種改良ではおなじみの現象である。

生殖細胞系列に起きた突然変異だけしか進化に寄与しない動物と違って、植物はしたたかだと思う。

感染症は人間と友達になりたがっている？

ウイルスはどこから来たのか

新型コロナウイルスによるパンデミックで世界は大変な目に遭っているが、そもそも感染症と人間の関わりはいつから始まったのだろうか。感染症の病原体はウイルス、細菌、原虫（単細胞の真核生物）、多細胞の寄生虫などであるが、最近のパンデミックはウイルスにより引き起こされるものが多いので、ウイルスとは何者かについてまず話したい。

ウイルスは、自らの力だけで、外界から栄養を取り入れて、代謝をし、複製をして子孫を作ることができないので、一般的な観点からすると生物とは言えない。専ら生物の細胞に入ってきて、細胞の代謝機能と複製機能を利用して、自身を複製する、タンパク質と核酸（ＤＮＡまたはＲＮＡ）からなる高分子体である。通常、他の生物の細胞に入らないと壊れてしまうが、タバコモザイクウイルスのように結晶になってしまうものもある。

かつては、ウイルスは生物になる寸前の原始的なプレ生物と考えられていた時もあったが、現在では生物の細胞の中の核酸の一部が、細胞から独立したものだと考えられている。大腸菌に感染するウイルスである Temperate phage のＤＮＡが大腸菌のゲノムに組み込まれたり、高等動物でも、レトロウイルス（逆転写酵素を持つＲＮＡウイルス、ＨＩＶ＝ヒト免疫不全ウイルスなど）が逆転写酵素を使ってＤＮＡに変身して、宿主のゲノムに潜り込んだりする現象（レトロウイルス由来のＤＮＡはプロウイルスと呼ばれる）は、これらのウイルスが、本来、生物の細胞のゲノムの一部であったことを示唆している。

分子生物学者の大澤省三（おおさわしょうぞう）は、ウイルスの遺伝子は細胞のゲノムにとって不要であったり有害であったりしたＤＮＡではないかと述べている（「ウイルスの起源を問う」、私達の教育改革通信、２０２１年６月号）。親に捨てられたウイルスが、親が恋しくて里帰りをしているか、実家に殴り込んで暴れているといった状況を思い描いてくれても良い。もう一つの傍証はウイルスと細胞は相性があって、多くのウイルスは特定の生物細胞にしか入り込めないのだ。植物に感染するウイルスは人には感染しない。特定の生物種（群）に感染するウイルスは、その生物種（群）の遠い祖先のＤＮＡ由来かも知れない。

尤も（もっと）も、このようにして宿主の細胞に入り込んだウイルスが常に宿主に対して悪さをするとは限らない。生物のゲノムの中にはウイルス由来と思われる塩基配列が沢山あり、内在性ウイルスと呼ばれている。この塩基配列はもはやウイルスを作る能力を喪失して、ゲノムの中で、籠(かご)の鳥状態になっていると考えられる。

狩猟採集時代の人類には麻疹は存在しなかった

日本では西日本に多いＡＴＬ（成人Ｔ細胞白血病）の病原遺伝子はＨＴＬＶ－１と呼ばれるレトロウイルスで、主として母子感染で、母親から乳児に感染し、プロウイルスとなってＴ細胞のゲノムに組み込まれている。組み込まれたプロウイルスはＨＴＬＶ－１を産生する能力を有しているが、稀(まれ)に強い病原性を発揮する以外は、通常は白血病を発症することはなくおとなしくしている。いつ人類にとり付いたかは定かではないが、白血病を発症させて宿主を殺すより、共存した方がウイルスの存続にとっても有利なため、共存の道を選びつつあるのだろう。

ＨＴＬＶ－１に限らず、宿主と長い間共存しているウイルスは、病原性が弱くなるように進化するのが普通である。狂犬病の病原体は、レトロウイルスではないＲＮＡウイルスで、オリジナルホストはコウモリだと考えられているが、コウモリは感染しても発病せず、体内の狂犬病ウイルスと共存する。このウイルスはヒトやイヌとは共存できずに、宿主を殺してしまい自身も消滅する。

今から1万年前頃までの、狩猟採集生活を送っていた頃の人類には、人類にだけ感染する病原性の高い病原体は存在しなかったと考えられる。その頃までの人類はバンドと呼ばれる１００人くらいの閉鎖性の強い集団で暮らしており、このような社会には、人に特異的に感染する病原体は入り込めなかったのだ。

ヒトの体内でしか存在できない病原体は、集団の少なくとも一人が感染して病原体を保持している必要がある。例えば、麻疹（はしか）のウイルスが存在するためには少なくとも20万人程度の人口を擁する集団が必要だ。１００人程度のバンドに分かれて暮らしていた狩猟採集時代の人類には、だから麻疹は存在しなかったのだ。存在できたのは、人獣共通感染症である肺炎や、土壌に広く存在する破傷風菌などによる感染症だけであった。中間宿主を持ち、生活環が複雑な寄生虫も、定住をしていない狩猟採集民に感染することは困難なので、存在できなかったろう。

そう書くと、この頃の人々は、感染症の恐怖に悩まされることもなく、健康で長生きできたと思う人もいるかもしれないが、前記の肺炎や破傷風ばかりでなく、食物不足による餓死や怪我で亡くなる人も多く、平均寿命は20歳に満たなかったと考えられている。

農耕を開始して集団の人口が増え始めると、感染症の病原体にとって、人類は感染する価値のある対象となる。人類を今でも苦しめている人型の結核菌は5000年から1万年くらい前に誕生したと言われている（青木正和『結核の歴史』、講談社）。

人型の結核菌は牛型結核菌から進化したらしく、牛の家畜化が進み、牛乳を摂取することにより、少なからぬ数の小児が牛型菌に感染して、この菌が人の身体条件に適応的に進化して、人型菌になったようだ。病原体にとっては、人口が多い人類を宿主とすることができれば、細菌やウイルスの存続に極めて有利なため、虎視眈々（こしたんたん）と地球上で最大の感染市場を狙っているというわけだ。感染症は人類を友達にしたくて仕方がないのだ。

パンデミックの根本的原因とは

世界中が交通網で結ばれている現代社会では、何かの加減で新しい感染症が現れて（ウイルスの場合はエマージングウイルスと呼ばれる）あっという間に全世界に拡がっていくことがある。新しい感染症に対しては、人々はまだ免疫を持っていないので、感染は爆発的になり、パンデミックを引き起こすことになる。

かつては新世界と旧世界は分断されており、新世界と旧世界では異なる感染症が流行していた。新世界のアステカ帝国は16世紀に僅か５００名のスペインのコルテス軍によって滅ばされたが、実際にアステカ帝国を滅亡させたのは、スペイン人が持ち込んだ天然痘や麻疹のウイルスであった。16世紀にはインカ帝国もスペイン人のピサロによって滅ばされたが、これまた真の滅亡原因はウイルスによるパンデミックだと考えられている。免疫がない人々を襲うエマージングウイルスの猛威は強大な帝国をいとも簡単に滅ぼすのである。

多くのエマージングウイルスは、もともとは野生の動物を宿主としていたが、何かのきっかけで人類に飛び移ってきたのだ。インフルエンザは、もともとは水鳥の感染症である。長年インフルエンザウイルスと共生しているガン・カモなどの水鳥では、このウイルスはほとんど悪さをしない。しかし本来の宿主ではないヒトの体内では、インフルエンザウイルスは猛威を振るう。

インフルエンザの発生源はほとんど中国の南部である。ヒトとアヒルとブタが一緒に沢山暮らしているところだ。アヒルは水鳥であるからインフルエンザのオリジナルホストだ。沢山のアヒルが密に住んでいると、１羽が感染すると次々に感染が拡大する。感染が拡大すると、突然変異の数も増えて、病原性が強い株も現れるし、ブタに感染する能力があるインフルエンザウイルスも現れる。アヒルとブタが一緒に暮らしているうちに、アヒルのインフルエンザウイルスがブタに感染する機会が増える。ブタにはヒトのインフルエンザウイルスも感染する。ヒトのインフルエンザと鳥インフルエンザがブタの細胞の中で遺伝子を交換すると、ヒトにとって強毒性を持つ鳥インフルエンザの特徴を持ち、なおかつヒトに感染力のあるインフルエンザウイルスが出現する可能性が高まる。様々なタイプのインフルエンザがほとんど中国の南部から出現するのには訳があるのだ。

新型コロナウイルスのオリジナルホストはどうやらキクガシラコウモリのようだ。奥地が開発され、本来そこに棲(す)んでいない家畜などが進出して、キクガシラコウモリから新型コロナウイルスを貰い、さらにそこからヒトへの感染が始まったみたいだ。パンデミックの根本原因は、人口爆発、環境破壊、交通網の発達等々の人為的なものなのだ。

このまま、世界の人口増と奥地の森林破壊が進んでいけば、次のパンデミックがいつまた起こっても不思議はない。感染症の病原体は人間と友達になりたがっていると書いたけれども、本当は、人間が野生動物を減少させて、オリジナルホストが絶滅しそうなので、やむを得ず、人間に飛び移ってきているのかもしれないのである。

ペットの寿命と自分の余命

人それぞれのペットロス

昆虫学者の石川良輔（いしかわりょうすけ）がペットのクサガメとの交流の日々を描いた『うちのカメ　オサムシの先生カメと暮らす』（八坂書房）と題する本がある。このクサガメは石川先生に懐いていて、家の中を自由に歩き回ってとても幸せそうであった。石川先生もカメ以上に幸せそうだったが、どんな幸せも永遠に続くことはない。

この本の出版年は１９９４年。当時、このクサガメはすでに35歳、石川先生も63歳であった。クサガメの寿命は最長50歳くらいと言われているので、現在は鬼籍のカメに違いない。石川先生はご健在のようであるので、大分前に愛カメと悲しい別れがあったのだろう。

生き物を飼う人は多いけれど、飼い主と飼っているペットが同時に死なない限り、いずれ別れの時が来る。イヌやネコといった、寿命がヒトよりもはるかに短いペットと暮らす人は、余程歳をとってから飼い始めない限り、ペットに先立たれるのが普通だ。ペットに先立たれるのは、親に先立たれるよりも悲しい人が多いようで、ペットロス症候群という大層な名前まで付いている。ペアレントロス症候群なんてのは聞いたことないものね。

自宅の近くに高乗寺という寺がある。１３９４年開山とのことなので相当の古刹である。寺山修司や忌野清志郎の墓があるずっと奥に犬猫墓地があって、いつもお線香とお花が絶えない。人間の墓はお盆とお彼岸を除いて閑散としているのとえらい違いである。

今まで、いつもそばにいたペットがいなくなるのは、日常の一部に穴が開いたようでさみしい、という気持ちになる人が多いのは、悲しみという感情が希薄な私でもよく分かる。日本で一番有名なネコであった、養老孟司さんちの「まる」が死んだあと、『まる　ありがとう』（西日本出版社）という本の中で、養老さんは次のように語っている。「死んでしばらくは玄関の引き戸の隙間を残す癖がなかなか抜けず、うっかりしっぽを踏まないように足元に気をつけたり、居そうな場所にふと視線が向いたり。そういうときに、いないな、何でいねえんだよと思う。ああ、そうか、死んだのかと気付く」

城山三郎に『そうか、もう君はいないのか』（新潮文庫）と題する著書がある。愛するものを失った寂寥は、ヒトでもネコでもイヌでも同じである。ずっと大事にしていた万年筆を失っても、残念だ、不便だ、という思いはあっても、悲しいということはない。イヌやネコとは感情が通じ合って、相思相愛の仲になれるが、万年筆は感情を持たないので、そこまでの思い入れは生じないのだ。

石川先生の飼っていたクサガメは微妙である。カメ（爬虫類）は鳥類と近縁で、哺乳類とは系統的に少し離れている。これらの三つのグループは羊膜類と呼ばれ、胚が羊膜に包まれて羊水に浮かんで発育する。羊膜類の共通祖先は、古生代ペルム紀初期（約2億8000万年前）に両生類から分岐した。脳の基本構造が同じなので、基底の所で情動は共通すると考えられる。だから、カメとは喜びや楽しさ恐怖は、多分、多少は共有できる。悲しさは高等な感情なので、おそらくカメは感じないと思う。

1832年生まれのジョナサン

さて、多くのペットは人間より寿命が短いので、亡くなれば、喪失感はあっても、仕方がないと諦めれば、それで済む。ところが人間よりもはるかに長生きする生物の場合は、自分が死んだ後、残される生き物のことを考えなければならない。僕の友人が、かつてセマルハコガメを庭で飼っていたところ、どんどん増えて、庭をカメが歩き回っていたらしい。それを見た彼の友人が欲しいというので、何頭か譲ったところ、友人は10年後に亡くなってしまい、奥様がカメを連れて、引き取って欲しいと来られたとのこと。

それでも、クサガメやセマルハコガメは、寿命が50歳くらいなので、大したことはない。ゾウガメの中には人間の倍以上長生きするものもいる。飼い主が次々に亡くなっても、殉死させるわけにもいかず、誰かが世話をしなければならない。

ハリエットと名付けられたガラパゴスゾウガメのメスがいる。ものの本によると、１８３０年11月15日に生まれたとある。生年はともかく、何で誕生日まで分かるのか不思議だが、ウィキペディアには１８３０年頃に生まれたとあるので、そちらの方が正しいのかもしれない。一説ではダーウィンが１８３５年に捕獲して、ガラパゴス諸島から連れてきた３頭の中の１頭で、暫く経ってからオーストラリアの友人に贈ったものだという。

遺伝子鑑定の結果、ハリエットはガラパゴスゾウガメの亜種のサンタクルスゾウガメで、ダーウィンはサンタクルス島は訪れていないので、ハリエットはダーウィンが連れてきたカメではないとも言われている。それはともかく、ハリエットは１００年以上もの間オスと思われていて、ハリーという名で呼ばれていたが、名前は人間の都合で付けられるので、当のカメにしてみれば、ハリーだろうがハリエットだろうがどうでもいいに違いない。

オーストラリアに贈られたハリエットは１００年以上、ブリスベン植物園で飼われていたが、その後、オーストラリア動物園に移され、２００５年11月15日、１７５歳の誕生日にハイビスカスの花で作ったケーキをお祝いに貰って盛大に祝福された。ハリエットはハイビスカスが大好物だった。２００６年６月23日、心臓発作により死去。ダーウィンはもちろんのこと、ハリエットの飼い主は次々に亡くなったに違いないが、ハリエット自身は飼い主が死んでも、別に悲しくはなかったろう。そこがイヌと違う所だ。イヌは飼い主が亡くなれば、悲しそうな顔をする。

ハリエットは１７５歳まで生きたが、上には上がいて、アルダブラゾウガメのジョナサンは今年１９０歳になるという。ジョナサンは１８３２年にセーシェル諸島で生まれ、１８８２年にセントヘレナ島に移されて以来、ずっと、この島で暮らしているという。今では観光の目玉で、人間を含め、セントヘレナで一番有名な生物だ。世話してくれた人は何人も亡くなったと思うが、まあ覚えてないだろうね。自分が何歳であるかといった自覚もおそらくないと思う。幸せなのか、不幸なのか、私にはわからない。

累代飼育と自分の死後

植物の中には人間よりもはるかに長生きをするものがいる。ケヤキやスギやクスは何百年も生きるが、人間が栽培しているわけではないので、ペットの動物とはわけが違う。ところが、鉢で栽培して愛でている観葉植物の中にも、驚くほど長生きするものがある。花から芳香が漂ってくる中国春蘭の銘品の中には、200年～300年前に発見されて以来、絶種せずに今日まで伝わっているものも多い。例えば、中国春蘭随一の名花である宋梅は、清の乾隆年間（1736～1795）の発見と伝えられているので、200年以上絶種しないで、栽培されていることになる。玉梅素や汪字はさらに古く300年も前の発見だと言われる。

日本の古典園芸植物である長生蘭や富貴蘭の中にも江戸時代から伝わる銘品がある。1835年（天保6年）に京都で出版された『長生草』という彩色図譜には、現在もなおポピュラーな長生蘭の品種である、金龍、銀龍、紅木田、大江丸、南京丸、富士丸などが載っている。

東洋蘭の銘品は一つの株から株分けされたクローンであるため、個体ごとに遺伝子組成が異なる有性生殖をする動物と違って、沢山の株があれば、クローン全体が絶種する可能性は低い。しかし、株数が少ないものは、持ち主が亡くなった後、管理をする人がいなくなれば、枯死して、場合によっては絶種しないとも限らない。

そこで、希少な銘品を持っている人は、自分の死後の蘭の行方を気にすることになる。生前に、自分より若い同好者に譲渡するという人もいれば、死後どの蘭を誰それに譲るという遺言を書く人もいる。最近は、ネットオークションやら、メルカリやらで、商売人でなくとも気軽に売買ができるので、自分が歳をとって、面倒を見切れなくなった蘭を売りに出している人もいる。

私も時々東洋蘭のオークションを覗(のぞ)いてみるが、父が生前大事にしていた蘭ですとか、父の終活を手伝っていますといった書き込みがあるものもあり、自分の死後の蘭の行方を気にしている人が多いのが分かる。これは、すでにあちこちに書いたことだが、僕の友人の一人はオキナワマルバネクワガタを累代飼育している。このクワガタは、国内希少野生動植物種に指定されており、採取も譲渡も禁止である。この友人は規制前からずっと累代で飼育をしているので、例外的に飼育が認められているが、たとえ無償でも譲渡は禁止である。

オガサワラシジミは野生絶滅した後、多摩(たま)動物公園と新宿御苑(しんじゅくぎょえん)で飼育されていたが、絶種してしまった。日本には昆虫の飼育の神様みたいな人が結構沢山いて、これらの人に広く飼育してもらっていれば、絶種することはなかったろう。今のままでは、オキナワマルバネクワガタもオガサワラシジミの二の舞にならないとも限らない。累代飼育している個体をなぜ譲渡禁止にするのか理解に苦しむ。

この友人も、自分が弱って飼育できなくなったり、死んだりした後、累代飼育しているクワガタたちはどうなるのだろうと心配している。累代飼育をしている希少野生動植物に関しては、せめて、死後誰それに譲るという遺言があれば、合法的に譲渡が成立するという法改正をしてもらいたいと思う。

いずれにしても、自分が死んだ後も生き残る動植物の処遇を気にするのは、飼育している人の義務であり、権利でもあると思う。

V 老いの人生論

コロナ禍を乗り切る方途は庭仕事

高齢者とフレイル

老人は新型コロナウイルスに感染すると重症化しやすいということなので、家に籠って いる人も多いと思う。感染しても症状が出ない不顕性の高齢者も2割程度はいるようなので、重症化する人と不顕性の人では何らかの遺伝的な違いやエピジェネティックな違いがあると思われるが、それが何であるかはよくわかっていない。リスクの多寡が分かれば、それなりに対処の仕方もあると思うが、今のところ、すべての高齢者は重症化するリスクが高いという前提で対応するほかないので、活動を制限せざるを得ない高齢者の中にはフレイルになる人も出てくるということだ。

フレイルとは Frailty（脆弱）の日本語訳で、高齢化社会にとって重要な概念であるとして、2014年に日本老年医学界が提唱した、自立と要介護の中間に位置する状態のことだ。生活の質によっては、自立に戻ることも可能だが、要介護になってしまうこともあるというクリティカルな状況のことだ。

重力に逆らって体を動かすことと、他人と会話をしたり一人であっても何らかの生産的なことを考えたりすることは、身心を健康に保つためになくてはならないことである。例えば、体力のある若い人でも重度の骨折をしてベッドで1か月ほど寝たきりになっていると筋力が低下する。宇宙飛行士のような鍛え上げた人でも無重力状態で長いこと暮らしていると、重力のある地球に帰って来た後は、暫(しばら)くの間苦労する。ましてや体力のない老人であれば、余程頑張ってリハビリしないと寝たきりになりかねない。

そういうことが分かっているので、整形外科では骨折が治るまで待たずに、無理やりにでも動かすことを奨励しているところが多い。コロナ禍で、外出もしないで、家に籠っているとどうしても運動不足になり、そのうち歩くのがおっくうになり、さらに運動不足になって、ロコモティブシンドローム（運動器の障害のために移動機能の低下をきたした状態）になり、フレイルに落ち込む人が出てくる。出かけなければならない用事があれば、いやでも動かざるを得ず、結果的にフレイルの予防になっているわけだ。

定年になって隠居を決め込んでいる人の多くは、特段の出かける用事もない代わりに、自治体がサービスでやっている体操教室とか、あるいは友達と楽しんでやっているゲートボールとか、散策クラブとか、その気になれば、体を動かす機会はいくらでもある。しかし、新型コロナの蔓延(まんえん)を恐れてこういったイベントは次々に中止になって、体を動かす機会はめっきり減った。もちろん自分一人で、フィットネスに励んだり、ランニングをしたりすることもできるのだが、普通の人は、気の置けない友達とたわいのないおしゃべりをしながら運動もするから続けられるのであって、一人で続けるのは根性がいる。

承認欲求と生きる力

これは体の問題であるが、もっと大きな問題は、コロナ禍になって鬱(うつ)の老人が増えてきたことだ。人が生きるのに最も重要なのは承認欲求だと私は思う。SNSに投稿して「いいね」が付くと嬉(うれ)しいのは多少とも承認欲求が満たされるからである。知らない人から「いいね」と言われても嬉しいのだから、よく知っている人や敬愛している人から認められれば、これは大きな生きがいとなる。コロナ禍で、会合も会食もままならないと、承認欲求が充分に満たされずに、文字通り欲求不満になる。電話や、Zoomといったコミュニケーションのツールはあるが、対面で話をするのに比べれば、コミュニケーションの密度は落ちる。

例えば、ボランティアで地域活動のリーダー役をしていて、それが生きがいだった人が、コロナ禍で、集会はNGということになって、生きる楽しみが減ったという話は良く聞く。ボランティアは他人のためではなく実は自分の楽しみでやっていたのだということがよく分かる。だからいけないと言っているわけではないが。

コロナ禍の中でもフレイルにならない人は、自分一人で、楽しいことを見つけて、身心が衰えない程度の活動をしている人である。他人と一緒でも楽しいが、自分一人でも結構楽しめる趣味がある人は、他人の存在を当てにしている人より生き延びる力は強い。私事で恐縮だが、私は他人とあまり会わなくとも、一人で楽しめる趣味がいくつかあって、ある程度、体も頭も使うので、フレイルにならないで済むと思う。尤も未来のことはわからないので、偉そうなことは言わない方がいいんだけれどね。

新型コロナウイルスが流行り始めたころは、暇になって嬉しいとばかりに、毎日、溜まりに溜まった虫の標本を整理していた。これは基本的にデスクワークなので、体力はあまり使わない。但し、虫の名前を調べるのに日本語の文献ばかりでなく外国語（と言っても英語以外はほとんど読めないけどね）の文献にも目を通すので、頭も結構使うのだ。それとは別に、原稿書きもしなくちゃならないので、こっちのほうも多少は頭を使う。

半年ほど、毎日虫の整理ばかりしていたが、さすがに飽きる。と同時に体を動かさないものだから、体力が弱ってくるのが自分でもわかってきた。あまつさえ、秋の終わりごろから、膝痛（しつつう）が出て、2か月ばかり軽く脚を引きずりながら歩いていた。これは困ったと思ったが、脚を冷やさないようにして、ダマシダマシ軽い運動をしているうちに治ってしまった。

医者にはいかなかった。私の膝痛は病気というより老化なので、医者に行ってもお金と時間の無駄なのだ。これは前の膝痛で経験済みだ。自分で治す方が早い。どうやって治すかって？　それは自分で考えてくれ。えっ、金払って本を買っているんだから少しは教えろって？　貴方（あなた）には役に立たないかもしれませんが、私的には、なるべく痛くないようにできるだけ沢山動かすことに尽きますね。

膝痛が出たのは、全く動かないで、虫の標本ばかり作っていた祟り（たた）かもしれないと思って、もう少し体を動かして、かつ面白い遊びはないかとつらつら考えた。そこで、思いついたのが庭仕事である。夏に、キュウリとナスとミニトマトを作っていた（半ばほったらかしであまり生（な）らなかった）庭の一角の畑の雑草を抜いて耕して、新しい土と肥料と苦土石灰を入れて、畝を作ってコマツナとホウレンソウとカラシナの種をまいた。暫くすると、新芽が出てきて、時々間引きをしていた。自作のスプラウトである。間引くのも結構な運動になる。自分で作ったスプラウトはスーパーで買うのより心なしか美味しい気がする。

冬に作る野菜のいいところは害虫がほとんどつかないことだ。私は殺虫剤を撒かないので、夏の作物は害虫の餌になってしまう。自宅で作る冬野菜は完全無農薬で、虫食いの痕もない。今はほぼ全部収穫して、取り残したコマツナが菜の花を咲かせている。もう少ししたらこれも全部引き抜いて、新しく土を入れて、畝を作り今度は何を作ろうか思案中である。培養土を買ったり、肥料を買ったりして作るより、スーパーで買ってきた方が安くつくことは間違いないが、体を動かすためにやっていると思えば、ジムに行くより安い。それで、フレイルになるのを防げれば言うことなしだ。

思い出の銘品「極品」

最近、再開したのは東洋蘭の培養である。これは結婚してから20年くらい夢中になっていた趣味であるが、忙しさにかまけて、余り面倒を見なかった間に、ずいぶん枯らしてしまったり、株が弱ってしまったりしたので、一念発起して、植え替えたり、新しい品種をネットオークションで入手したりして、楽しんでいる。２００鉢以上あったセッコクは整理して80鉢程度に減らし、１００鉢ほどあった春蘭は50鉢程度に減らし、後は庭に地植えにしてしまった。

20年以上遠ざかっている間に、昔、高価だった品種が安価になっていたので驚いた。花付きで50万円もした赤花の万寿とか女雛（めびな）とかの銘品が1万円くらいで買える。浦島太郎になった気分である。培養技術が進歩したせいであろうか。

半世紀前は、メリクローン（成長点の細胞培養によってクローンを作る）も交配種の種蒔（ま）きもなかった。専ら株分けで増やすしかなかったので、高価だったのだろう。こういった技術は最初洋蘭から始まり、私が知らない間に東洋蘭の栽培にも取り入れられるようになり、それと共に安価になったに違いない。

東洋蘭の培養は、1株何十万円とか場合によっては何百万円といったところに価値があったという昔の愛好家にとっては、高尚な趣味でなくなった気がして、やる気が失（う）せてしまった人もいるようであるが、蘭の美しさは値段とは関係ないので、貧乏人にとっては銘品が安く入手できるのは嬉しい。

今凝っているのは、主に中国原産の一茎九華（いっけいきゅうか）と呼ばれる東洋蘭で、花芽がアスパラガスのように出て、茎が太く一つの茎に数個から十数個の花を付ける。何となくやぼったい蘭である。女房は寒蘭のように清楚で華奢で上品な蘭がいいというけれども、私は、垢ぬけないところが好きなのである。ど貧乏だったころ、ひょんなことから「極品」という一茎九華の銘品を手に入れた。長年培養してやっと花を咲かせ、結婚したばかりの長男の嫁さんに自慢したところ、「えっ、ゴクヒンですか」と大笑いされてしまった。音にすれば「極品」も「極貧」も同じなので、普通の人は「極貧」の方を思い浮かべるわな。蘭はともかく、確かに私は「極貧」だったけれどね。

人生は計画通りにいかないから面白い

権力は好コントロール装置

内田樹（うちだたつる）が少し前の「ＡＥＲＡ」の巻頭エッセイで「児童生徒の夢を管理したがる文科省最短距離・最短時間＝最善ではない」と題して、将来の夢を想定して、その実現のために事細かな計画を策定せよという、文科省肝いりの指導に対して苦言を呈していた。

高校生に対して「９月までに将来の夢を確定し、そのための計画を立てること」といった宿題が出るらしい。「どうして文部科学省はそれほどまで子どもの成長過程を管理したがるのか。どうして子どもが無駄な迂回（うかい）をすることなく、決められた軌道を最短距離・最短時間で進むことが人生の緊急事だと信じられるのか。私には理解できない」（「ＡＥＲＡ」２０２１年5月24日号）。

文科省の役人もバカではないから、そんなことを信じている奴はほとんどいないだろうが、権力は好コントロール装置なので、名目は何であれ国民をコントロールしたくて仕方がないのだ。大人は飴をちらつかせたり、恐怖を煽ったりしない限り、コントロールするのは難しいが、子どもをコントロールするのは比較的簡単なので、権力の意のままになる国民を養成すべく、初等中等学校に対して、政治的な介入が行われることになる。

私が高校生の頃も、「期待される人間像」なんていう愚にも付かない目標が文部省主導のもとに作成されたが、期待される人間像になるための計画を立てて提出せよ、といった宿題は出なかった。小学校の卒業文集で将来なりたい職業という欄があって、男子の同級生の多くは、プロ野球の選手とかパイロットとか列車やバスの運転手とか書いていたが、私は昆虫学者と書いてみんなに笑われていた。みんな単に憧れを書いていただけで、どうすればそうなれるかを考えているわけではなかった。

そもそも、将来の夢を実現する計画書を書いたところで、計画通りに行くわけはなく、時間の無駄だというのは、当たり前だと思うのだけれどね。学校という所は、無駄な書類を山ほど書くのが仕事になっているので、児童生徒にも無駄な作業をさせて恬として恥じないのかもしれない。将来の夢を実現する計画を書く暇があるのなら、勉強をした方が賢いと思う。

人生は計画通りにならないから人生なのであって、生きているとは計画通りにならないことの謂いであって、計画通りになるのは機械であって、生物ではないのだ。人生が面白いのは思いもよらないことが起こって、それをきっかけに、新しい局面が出現するからである。その結果、素晴らしい僥倖に恵まれることもあるし、志半ばで挫折することもある。

人生は偶然の出会いと運で決まる

私自身の話をすると、私は小学校に上がる前に小児結核にかかり、幼稚園にも保育園にも行けなかった代わりに、毎日、虫と戯れて遊んでいた。小学校に入学したときにはひらがなが書けなかったが、幼稚園でつまらないしつけをされなくて、本当に良かったと思っている。友達がいなくても全然平気という感性は、朝から晩まで、一人で虫と遊んでいた時に養われたのだろう。ちょうどその頃、抗生物質が市場に出てきて、「月給が全部清彦の薬に化けてしまったよ」と親父が嘆いたくらい高かったけれど、命はとりとめた。結核にかかったのも偶然で、新薬が使えるようになったのも偶然だ。人生にとって最も重要なのは偶然であって、計画ではないのだという事がよく分かる。

高校3年生の時に、あまりにもお勉強の出来が悪くて、さすがにこれはまずいと秋口から根を詰めて勉強して、何とか東京教育大学に滑り込めたのは、まあ、計画通りと言えなくはないが、大学院の博士課程の入試に落ちたのは、もちろん計画通りではないし、次の年に東京都立大学の北沢右三（きたざわゆうぞう）先生が拾ってくれたのは、都立大の博士課程の入試の半年くらい前に、教育大学に集中講義に見えた北沢先生に修士論文をお見せして、気に入ってもらえたのがきっかけで、偶然みたいなものだ。結果論だが、教育大学の博士課程に落ちて運が開けたのである。

山梨大学に就職できたのも、候補者の推薦を頼まれた隣の研究室の桑沢清明（くわさわきよあき）先生が意中の人と全く連絡が付かずに、私にお鉢が回ってきたもので、運が良かったとしか言いようがない。人生は偶然の出会いと運で決まることがほとんどで、あらかじめ立てた計画通りに行くことはまずないし、計画に縛られると大体ろくなことはない。

私の人生で最も重大な事件は柴谷篤弘（しばたにあつひろ）先生と出会ったことである。1985年に、当時、岩波書店から出ていた「生物科学」にネオダーウィニズムとは異なる進化のメカニズムを考察した論文を発表したところ、日本の生態学者や生物学者にはほぼ黙殺された中、ただ一人私に手紙を下さったのが柴谷篤弘先生である。私にとっては予期せぬ出来事で、これをきっかけに、構造主義生物学の構築に突き進むことになったわけで、これも計画とは無縁な出来事である。

辞め時がいつの間にか現実に

そもそも計画を立てて、その通りに実現する夢などは夢ではない。なんでそんな詰まらない計画を立てさせるのかといえば、権力が嫌がる夢を潰すためとしか思われない。例えば、「自公維新が推進している金権政治を潰したい」との夢を描いて、そのための計画を書いても、文科省に支配されて頭が腐っている教師は、良くて黙殺するか、もっと現実的な夢を考えなさい、といって指導するんでしょうね。昔だったら、「そんな夢のようなことを言ってんじゃねーよ」と一喝されるところだけれどね。もともと夢について書くのに、夢のようなことを書いてもかまわないという理屈は通用しないのかもね。

国立大学は2004年から法人化されたが、法人化になりそうだという頃に、山梨大学の評議員をしていた私は、これは悲惨なことになると分かっていたので、面倒くさいから辞めちまおうかと思っていた。評議員の中には法人になった方が自由になるとか、能天気な夢を語っていた人もいた。戦後、文部省や文科省主導の教育改革で、事態が良くなった試しは一度もないのに、一部の人は、考えられうる限り最良の未来を夢見るのは、なぜだろうね。不思議だ。悪い未来を考えるのが怖いのかしらね。

そんな折、偶々甲府駅のホームで、早稲田大学の商学部の教授であった桜井洋さんと出会った。桜井さんは山梨大学の助教授から早稲田大学に転出された社会学者で、山梨大学時代は結構親しかった。「国立大学はそろそろヤバそうなので、辞め時かなと思っている」と話したら、早稲田大で2004年度から開設する新学部（国際教養学部）に移らないかと誘ってくれた。桜井さんは新学部の創設準備委員会の副委員長だったのだ。お世辞半分だと思っていたら、どうやらマジで、とんとん拍子に話が決まって、2004年度から早稲田に勤務することになった。あたかも図ったかのように、早稲田大に移ったけれども、甲府駅で桜井さんに会わなかったら、そんな話にはならなかったので、これも偶然の僥倖だ。

将来の夢という嘘つき競争

私は極度の面倒くさがりで、自分から積極的に動くことは滅多にないので（女房を口説いた時は唯一の例外だ）、自分の就職も本の出版も、自分から積極的に頼むというより転がり落ちてきた話なのだ。自分の子供や友人に関しては、出版や就職をずいぶん頼んだ覚えがあるけれどね（首尾よくいった試しは滅多にないが）。だから、自分自身に関しては、良いことも悪いことも、自分が計画を立てて、どうにかなるという考えがないのだ。行き当たりばったりで生きていても人生何とかなることもあるし、計画を立ててもどうにもならないこともある。

早稲田大学に勤務し始めた頃は、ＡＯ入試の面接官をよくさせられた。途中からは現代文の入試問題の作成委員をさせられて、面接官は免除になった。生物学専攻の私が、まさか国語の入試問題を作らされる羽目になるとは思わなかった。人生のほとんどすべては計画とは無関係の偶然の出来事なのだから、事細かな人生設計をあらかじめ立てても詮無いのだ。

ＡＯ入試の面接では、卒業後の進路（将来の夢という事になるのかしら）について質問するのがお決まりのパターンで、多くの学生は、「国連で途上国の貧困をなくすために働きたい」とか「英語力を生かして外交官になって日本のために尽くしたい」とか綺麗ごとを言っていた。「まだ決めていません」とか「株の投資術を研究して就職しないで稼げるようになりたい」とか本音を言う受験生は稀だった。面接官の私は本音を言う受験生には○、綺麗ごとを言う受験生には×を付けていたが、合否は複数の面接官の平均点で決まるので、私が○を付けた受験生は大概不合格になった。

学校で公認されている言説は、politically correct をもじれば、school correct なもので、本当のことを言うと、教室が凍り付いてしまうので、将来の夢の計画などという代物も嘘つき競争に近くなってくる。「親父の資産が30億円くらいあるので、一生働かないで遊んで暮らします」とか「パチプロになって頑張ります」といった将来の夢はタブーなのである。おそらく一番褒められる夢は、清く正しく生きますといった、利他主義的な言説であろう。利己主義の塊である支配者層にとっては、国民が文句も言わずに言う事を聞くのは、とてもありがたいので、そういう夢に誘導すべく、学校現場を指導したいのであろう。したたかでいい加減な児童生徒じゃないと、生きていくのは大変だ。

料理を作るのは大変だ

異なる二つの才能

最近、朝飯は自分で作るようになった。結婚するまでは母親が作った料理を食べ、結婚してからは女房が作った料理を食べ、70過ぎまで自分で料理を作ったことはなかった。ところが、定年になった頃から、朝早く起きる必要がなくなって夜更かしになり、生活のリズムが女房とは違ってきた。

女房は私よりはるかに早く起き、私が起きる前に朝飯をすましてしまうことが多い。私は午前9時近くに起きるので、それから私の朝飯を作るのは二度手間になる。かといって、私の分も一緒に作っておくと、私が食べるころには冷めてしまう。それならば私の分は自分で作ろうと、一念発起して、最近は自分の朝飯は自分で作るようになった。

料理を作って初めて分かったことは、料理を作る才能は、原稿書きや虫採りの才能と全く違うことだ。後者の才能は一つことに集中することができる才能である。私の文章を、思い付きを適当に書いているだけだと思っている人も多いかと思うが（まあ、そうには違いないが）、本一冊書くのも、ショートエッセイを一本書くのも結構集中力がいるのである。

どちらかというと、やさしい文章を書く方が難しい。おおよそのテーマを決めて、起承転結を頭に入れながら、読みやすく、しかもリズムを乱さないように言葉を選ぶのは、結構な集中力を必要とするのである。つづめて言えば、原稿を書くのは面倒くさいのだ。書き始めるときには決心がいる。流れるように読める文章ほど、著者は呻吟しながら書いていることが多いと思う。但し途中で中断することも、長い時間をかけて推敲することもできるので、秒単位の時間に追われることはない。

虫を採るのも集中力を必要とするが、私の一番好きな昆虫であるネキダリス（ホソコバネカミキリの仲間）は飛んでいるところを採ることが多いので、間合いを測りながら、捕虫網を一振りで、仕留めなければならない。視力と機敏さが必要で、同じ集中力と言っても文章を書く集中力とは、全く種類が異なる。この手の集中力は歳と共に衰えるので、虫採りはだんだん下手になる。一方、呆けない限り、歳をとっても文章は余り下手にならない。

料理の才能は、いくつかのことに同時に気を配るとともに、時間との戦いをうまく制する能力で、これは女房にはまるでかなわない。私が朝飯を作り始めた頃は、まず目玉焼きを作った。フライパンで作る目玉焼きは、低温でゆっくりと焼かないと、白身が焦げてしまう。白身が焦げないようにゆっくり焼きながら、黄身が半熟くらいになった頃が一番食べごろである。

しかし、朝飯と雖も、目玉焼きだけで済ますわけにはいかないので、目玉焼きをお皿にとってから、次に味噌汁を作る。鍋に水と粉末のだし（最近は「本枯節の無加塩だし」というのを使っている）を入れて火にかけて、冷凍しておいたナメコやシイタケ、時には生のニンジンやジャガイモを細かく切って放り込み、煮立ってきたら、庭から採ってきた菜っ葉を入れて、最後に味噌を溶かして、出来上がり、なんてことを悠長にやっていると、さっき作った目玉焼きはすっかり冷え切っている。両方とも温かいうちに食べるには、この二つを同時に作らなければならない。

朝飯を作るだけでもこれだけの知恵と手際が要る、という事は自分で作るまでは分からなかった。女房に作ってもらっていた時は、温かい味噌汁と、温かい卵焼きと、温かいご飯が同時に出てくるのを不思議とも思わずに、ただ食べていただけだった。女房に人でなしと言われるのも無理はない。

最初に比べれば長足の進歩

自宅の庭の、猫の額ほどの（本当はもう少し広いよ）家庭菜園で、野菜を作っているので、庭から収穫した野菜を味噌汁に入れることが多い。早春まではコマツナが沢山採れたので、味噌汁の具は大概コマツナだった。今はキンジソウ（金時草）だ。この野菜はとても便利で、茎を切って葉っぱを取って、丸坊主の茎を土に挿しておけば、茎から根と葉が出てきて、いくらでも増える。冬は枯れてしまうが、わらでもかけておけば、完全に枯れることはなく、大抵は次の春になると、芽を出してくる。完全無農薬で手間もかからず、しかもお金も一切かからないという真に素晴らしい野菜である。

味噌は市販のものを使っていたが、今は自家製のものを使っている。大豆を茹でて潰し、冷めたら、大豆と麹と塩を均一に混ぜて団子にする。団子を容器に叩きつけながら詰めて、表面をならしてラップをかけ、ビニール袋に塩を適当に入れて重しとして表面に乗せ、そのまま放置し半年後に出来上がりである。これは私が一人で作るのではなく、女房と共同で作る。というよりも女房に指導してもらいながら作るわけだ。自分で作った味噌は市販のものより美味しい気がするのは、文字通り手前味噌だな。

最近は、卵料理は目玉焼きにせずにオムレツにすることが多い。卵をかき混ぜて卵液を作り、塩を適当にふって最後に牛乳をこれも適当に入れて、四角い小さなフライパンに油を引いて加熱して卵液を入れるのだが、温度調整が結構難しい。フライパンに卵液を入れたら箸（はし）でぐちゃぐちゃにしてから、フライパンの幅と全く同じ幅のへらで、端から巻いて出来上がりだ。うまくいくと長方形の見事なオムレツができるが、失敗するとバラバラになったり焼きすぎになったりする。最近は少し賢くなって、味噌汁と卵焼きを同時に作れるようになった。最初に比べれば長足の進歩だな。

今はＩＨが主流になりつつあるが、少し前まではほとんどの家庭ではガスコンロを使っていた。年寄りが火を使うのは危険だという事を、身をもって教えてくれたのは、一刀斎（いっとうさい）の異名を持つ数学者でエッセイストでもあった森毅（もりつよし）で、自宅で卵焼きを作っていた時にガスコンロの火が着物に燃え移って大やけどを負い、これがもとで亡くなった。それで私はガスコンロをＩＨに換えてしまった。

人々の味覚は幼少期に決まる

　ところで料理の歴史は人類が火を使い始めてからだ。習慣的に火を使いだしたのは、40万年くらい前のホモ・エレクトスからだと言われているので、それまでは料理というものはなかったはずだ。野生動物は料理をしない。幸島（こうじま）のニホンザルは海水でイモを洗うことで有名だが、もちろんこれは料理ではない。人類は１００万年前頃から肉を積極的に食べるようになったが、40万年以前は生肉を食べていたのだろう。ダンバー数（明示的なルールを決めなくとも集団がうまく機能する上限の数、ほぼ１５０人程度）で有名な人類学者のロビン・ダンバーによると、肉や根菜類を加熱して食べると、栄養素の吸収が50パーセント増えるという。さらには細菌や寄生虫に感染するリスクも減らせるので、料理は人類史にとって画期的な発明だったのだ。

　知られる限り最古のホモ・サピエンスは30万年前に誕生しているので、誕生の時から料理を知っていたことになる。最初は直火で焼いていただけだったのが、煮たり、茹でたり、蒸したりして、様々なやり方を考案したに違いない。子どもは親の調理法を見て育つので、調理法は伝承され、家庭の味や部族の味や民族の味といった形で、食文化を形成していったのだろう。

18世紀から19世紀にかけて活躍したフランスの政治家で美食家でもあったブリア=サヴァランは「新しい料理の発見は、新しい星の発見よりも人類の幸福に資する」との名言を残したが、人々の味覚は幼少期に決まるので、全く新しい料理を、食べたことがない人たちに広めるのは大変である。私の母親は、チーズは「うんこ臭い」と言って決して食べようとしなかったし、トマトも「気違いナス」（これは今では差別語だと言われるな）と言って嫌っていた。しかし当時、日本で売っていたチーズやトマトに比べ、今日び市場に出回っているチーズやトマトは全く違った食べ物と言ってもいいくらいなので、母親が生きていて、これらを口にしたら何というだろうか。

世の中には食通の人がいて、世界の様々な料理や珍味に詳しく、それらを食べることを楽しみにしているみたいだ。私の構造主義生物学の師匠の柴谷篤弘先生も、77歳の時に『オーストラリア発　柴谷博士の世界の料理』（径書房）と題する本を出版されたくらいの食通で、ご自身でも様々な料理を作っておられた。私は好き嫌いがほとんどなく、どんなものでも食べられるので、柴谷先生がご馳走してくれるエスニック料理に舌鼓を打っていたが、料理の名前は食べるそばから忘れてしまった。

一般の人は、食通の人は料理の味に敏感で、食通でない人は鈍感だと思っているかもしれないが、ヒトの味蕾の数は歳とともに減少するので、味覚は歳と共に鈍っていくに違いない。口が肥えた人というのは、実は幼少期の味覚が鈍感になって、どんなものでも食べられるようになった人かもしれない。

コロナ禍は老化を加速する

暇な方が体の衰えが早い

コロナ禍で自宅に蟄居（ちっきょ）している間に、ずいぶん歳をとったような気がする。最初のうちは暇で、溜まりに溜まった昆虫の未整理標本を整理するのに絶好の機会だ、くらいに思っていた。しかし、数か月もの間、毎日虫の標本を作っていると、さすがに飽きる。気晴らしに外出したくても、採集旅行を計画していた沖縄にも台湾にも行けなくなり、近郊の採集地に行こうにも、他府県のナンバーが付いている車には石が飛んでくるよ、などと脅かされて、自宅で、うじうじしている間に、心身ともに老け込んできた。

対面の講演はほぼ中止になって、時々、テレビ出演、リモートの講演やトークショーに出る以外は、対外的な仕事はめっきり減った。仕事が無茶苦茶忙しい時は、もう少しゆっくりしないと体を壊すわ、と思っていたが、いざ暇を持て余すようになると、暇な方が体の衰えが早いということがよく分かった。

おそらく私よりはるかに忙しい養老さんは、２０２０年の３月に箱根の「バカの壁ハウス」に女房と共に伺った時はまだ元気だったが、４月に入ってコロナ禍が酷くなり、養老さんにＣＯＶＩＤ－19を感染させては大変だと思った友人や編集者などが全く来なくなり、ほとんど他人と会わなくなった。それから徐々に体の具合が悪くなったようで、「どこも痛いということもないんだけど、どうにもやる気が出ない。これはどこか悪いんじゃないか」と東大病院で検査したところ、無痛性の心筋梗塞と診断され、即、集中治療室に入院となった。今は元気になられたようで何よりだが、急に暇になったので、病気になったのではなかろうかと、私は思っている。

３密を避けないで、ＣＯＶＩＤ－19になって亡くなったり、重症化して後遺症が残ったりするリスクと、人に会わないで鬱になったり、フレイル（要介護予備軍）になったり、ロコモ（ロコモティブシンドローム）になったりするリスクは、本当の所どちらが大きいのだろう。短期的に死亡する確率は、もちろん前者の方が高いとは思うけれど、ＱＯＬを維持できずに健康寿命を縮める確率は後者の方がずっと高いと思う。

私はほとんどテレビを見ないので、自宅にいるときは、昆虫の標本を整理する、本を読む、原稿を書く、ネットで面白そうな話を探す、野菜や植物の世話をする、以外のことはしない。あっ、そうだ。午後5時になると酒を飲みだす、というのが一番重要なイベントだな。それ以降は寝るまで、ちびちびと酒を飲んでいる。

最初に飲むのは芋焼酎のお湯割りで、専ら「さつま白波」という紙パックの、１８００ml、１５００円くらいの安酒を飲んでいる。芋焼酎の中では、私はこれが一番気に入っている。例えば、「森伊蔵」というプレミアム芋焼酎は、確かに洗練されていて飲みやすいけれど、芋臭さが全くなく、物足りない。そうかといって、ひと昔前の芋焼酎のようにあまりにも芋臭くて、「えぐみ」が残るようなものも、ちょっと飲み辛い。「さつま白波」はその辺りのバランスが丁度よい。

焼酎を飲んでから、風呂に入る。最近は暖かくなってきたので、シャワーで済ますことが多い。もう少ししてヒグラシが鳴く頃になれば、窓を開けて山を眺めて、ヒグラシの声を聴きながら湯船につかると、極楽気分が味わえる。風呂から出ると、毎回必ず風呂を洗う。これは私の仕事である。洗剤で湯船や床や壁を洗った後、シャワーで洗剤を流し、水滴をふき取る。手入れを怠ると、暫くすると天井にカビが生える。この段階で対処しないとカビが根を張って、こうなるともはや手遅れである。毎日風呂を洗って乾かしておけば、

10年経ってもほぼピカピカのままだ。老人は新しいことに挑戦するのは苦手でも、同じことをするのはさほど苦にならないのだ。

毎日、3合酒を飲んでも、人は死なない

風呂が済むと夕食である。夕食は女房が作る。私は、後片付けをするくらいで夕食は作れない。通常の夕食では日本酒を飲むことが多い。最近飲んでいるのは、山梨県白州(はくしゅう)の蔵元、七賢(しちけん)の純米酒「風凛美山(ふうりんびざん)」である。1800ml、2200円の安酒だが、これが結構すっきりしていて、後口も悪くない。それにしても、「風凛美山」という命名はいかにも山梨県である。風林火山の語呂合わせだが、山梨県人は語呂合わせが好きなのだ。

山梨大学に勤めていた頃、甲府駅の北口に「弁当弁」という弁当屋が開店したことがあった。「ほかほか弁当」という弁当屋が大流行りしていた頃で、店主は素晴らしい命名だと思っていたのだと思う。知り合いの音楽専攻の女子学生が、ベートーベンを馬鹿にするのか、とカンカンに怒って、呪いをかけて潰してやると息巻いていた。

音楽より、食いものの方が大事だろ、と思っていた私は、まあそんなに腹を立てなくともよいではないか、と思ったが、この子の剣幕が並ではなかったので、口に出しては言わ

なかった。呪いが効いたのか、この弁当屋さんは暫くして本当に潰れてしまった。余り、キッチュな名前は付けない方がいいということだね。

夕食の時、女房は大概スパークリングワインを飲んでいる。私が飲む酒よりも同じ容量当たりの単価は数倍ほど高い。私は泡のワインはあまり飲まない。魚の料理や刺身の時は女房も日本酒を飲むが、「風凛美山」は飲まない。飲む日本酒は決まっていて、秋田県の飛良泉（ひらいずみ）「山廃純米マルヒNo.77」という銘柄である。日本酒度マイナス22・0、酸度4・2というすさまじい酒である。日本酒度はプラスが増すほど辛くマイナスが増すほど甘い。要するにものすごく甘くて酸っぱい日本酒なのだ。

私は飛良泉の別の酒が気に入っていたことがあって、高尾駅前のダイエーでその酒を買うついでに、隣に並んでいた飛良泉の酒を何種類か買ってきたことがあった。そのうちの1本を女房が無闇に気に入って、それが「マルヒNo.77」だったのだ。ワインぽくってうまいというのだけれども、まずくはないが、ちょっと、個性が強すぎて、普通の人は敬遠すると思う。酒好きの親戚（しんせき）や知人も、一口飲んで、「これが好きな人は余程の酒通ですね」というところを見ると、余り飲む気がしないのだろう。そんなわけで、女房と私は、一緒に酒を飲んでも、大抵は別の酒を飲んでいるのである。

もちろん同じ酒を飲むこともある。ちょっと特別な日は、福井県の南部酒造「究極の花垣」を飲む。私が自宅で飲む日本酒ではこれが一番うまくて高価である。720mlの瓶は年に2500本くらいしか作らない限定品である。この蔵元にはかつて畑中喜一郎という名杜氏がいらした。

ステーキや焼き肉の時は赤ワインを飲む。赤ワインの銘柄は決まっていない。赤ワインはあまり飲まないので、よく分からないのだ。イタリアンやそれに類した料理の時は、女房と一緒に白ワインを飲む。白ワインは甲州種で作ったものが一番私の口に合う。大抵は、山梨県勝沼のイケダワイナリー「グランキュヴェ甲州」というのを飲んでいる。同じイケダなので、昔から懇意にしているワイナリーなのだ。かつては畑の中の狭い道をやっと抜けたところにあったが、大きくなって新しい店を開き、ずいぶんと立派なワイナリーになった。主人はものすごく凝り性な人で、研究熱心が実を結んで、ワインのコストパフォーマンスの良さでは山梨県でも指折りだと思う。

ビールは、毎日、ヱビスの350mlを一缶開けるだけで、それ以上は飲まない。ヱビス以外のビールも飲まない。女房は夕食を食べ終わると、それ以後は酒を飲まないが、私は12時過ぎに寝るまで、7時間以上断続的に酒を飲んでいる。それでも酒量はさほど多くなく、せいぜい日本酒換算で3合くらいかしら。34年間、連続飲酒記録を更新中だ。毎日、3合酒を飲んでも、人は死なないということを、身をもって実証しているわけである。

たまにする「嫌なこと」が結構重要

なんで、毎日同じ銘柄の酒ばかり飲んでいるかというと、新しい酒を探すのが面倒くさいからである。若いころから面倒くさがりだったが、歳をとってさらに度が進んだようである。新しいことに挑戦するのが面倒くさくなるのは、歳をとった証拠である。朝から晩まで自宅にいて、毎日同じようなことをしていると、日にちと曜日の感覚も薄れてくる。勤め人は日曜日と月曜日を間違えると大変なことになるが、老人は日曜日も月曜日も変わらぬ暮らしをしているのだから、間違えてもどうってことはないのだ。

ひと昔前は、「今日は何日で何曜日ですか」と聞いてすぐに答えられないと「認知症ですね」と診断する医者がいたが、現役の医者が曜日を間違えたら認知症だが、老人が間違えても認知症とは限らないのだ。但し、社会的活動が少なくなって、カレンダーを気にしなくなると、認知症予備軍になることは間違いないと思われるので、コロナ禍は認知症予備軍を大量に生み出したことは確かだろう。

いろいろな所で外とつながっていると、楽しいことばかりでなく、嫌なこともしなければならない。最近、たまに嫌なことをする、というのが結構重要なんじゃないかと思うようになった。嫌なことと、楽しいことの落差があるから、生活にメリハリが出てくる。

朝、ベッドで目が覚めても、特にやることがなければ、起き上がるのが面倒なので、暫くベッドの上で、ぐずぐずしている。時計を見て、ヤバい遅刻だ、と言って飛び起きるなんてことはついぞなくなった。最近つくづく思うのは、新しいことを始めるのが面倒なばかりでなく、現在の状態を変えるのが面倒になってきたらしいことだ。ベッドの上で、目が覚めても起き上がるのが面倒くさい。酒を飲んで夜更かしするのは、立ち上がって寝るのが面倒くさいからだ。体の具合が少々悪くても医者に行くのは面倒くさい。湯船につかってつい長湯するのは、出るのが面倒くさいからだ。私にとって、歳をとるとはどうやらそういうことのようだ。

とは言っても、毎日無為に生きているのは、死ぬのが面倒くさいからだ、とは思わないところが不思議だ。

自分の体の声を聴く

症状がない人に対する健康診断は全くの無駄

会社の命令で健康診断を受けている人も多いと思う。症状がない人に対する健康診断は、総死亡率もがんや循環器疾患による死亡率も共に減らす効果がないことは、コクランレビューと呼ばれるメタ解析によってずっと以前からはっきりしていた。しかし、この解析は1980年以前のものであり、最近の医療の発展に伴って、健康診断にも一定の効果があるのではないかとの批判を受けて、2014年にデンマークで、虚血性心疾患の予防を目的に、大規模なランダム化比較試験が行われた。

5万9616人の健康な人を1万1629人の介入群と4万7987人の非介入群に分け、介入群には健康診断の受診案内を送り、それに応じた人には健康診断を行い、不健康な生活習慣がある人には禁煙やダイエットや運動についてのアドバイスをして、場合によっては医療機関を紹介した。10年間の追跡調査の結果、虚血性心疾患や脳卒中の発生率のみならず、総死亡率も介入群と非介入群に有意の差は見られなかった。要するに、症状がない人に対する健康診断は全くの無駄なのである。

アメリカやEUは、企業に従業員の健康診断を義務付けておらず、必要と思えば個人が健診を受ければいいだけだ。独り日本だけが、健康診断を律儀に毎年行っているが、上記の通り、受診者にはメリットはなにもない。時間とカネの無駄である。日本では、健康診断で食っている医者や関連企業が沢山あり、やめると、これらの人が食えなくなるので、エビデンスを無視して、健康診断を強行しているのだろう。

インチキな人為的地球温暖化論を振りかざして、ソーラーパネルや電気自動車で食っている企業と選ぶところはない。エビデンスという事で言えば、健康診断に寿命を延ばす効果がないというのは、繰り返し行われたランダム化試験の結果、科学的に反論の余地がないわけだから、さらに質(たち)が悪い。

私は、もう20年近く、健康診断もがん検診も受けたことはない。がんの検診は精度が上がって、例えば前立腺(せん)がんはＰＳＡというマーカーを調べることにより、早期に発見できるようになった。患者数はうなぎ上りに増えたが、それで、治療して治って、死亡数が減ったかと思いきや、前立腺がんの死者数は微増しているのである。やらずもがなの治療をされて、死期を早めているのではないかしら。

前立腺がんのほとんどは良性で、放置しても患者を殺すようなことは滅多にないので、欧米では見つかっても治療をしないことが多い。そうであればＰＳＡ検査もする必要はないことになる。欧米ではＰＳＡ検査はやめようという流れになっている。ここでも日本だけが法律で決まっている検査項目でないとはいえ、一般的な健診でＰＳＡ検査を行っていることが多い。医者の近藤誠は長生きするコツはなるべく医者に近づかないことだと言っていたが、至言だと思う。

データが正しいか自覚症状が正しいか

それでも、具合が悪ければ医者に行く方がいいし、多くのサラリーマンは会社からの圧力により、無理やり健康診断を受けさせられることも多いだろう。その時は、レントゲン検査は受けたばかりだからとか、適当なことを言って、血圧測定や血液検査などの、体に侵襲を与えない項目だけを受けたらいいと思う。

歳をとると、検査項目がすべて正常という人はほとんどいなくなる。例えば、血圧は、日本高血圧学会の基準によれば140／90㎜Hg以上が高血圧という事になっているが、この基準では60歳以上の人の6割以上、75歳以上の人の7割以上が高血圧である。老人に関しては、マジョリティが異常で、マイノリティが正常という事になる。高血圧は長生きしないという思い込みで、この基準を決めたようだが、健康で長生きする人が正常で、病気で短命な人は異常という事になると、100歳以上生きた人だけが正常で、後の人は異常という馬鹿げた話になりかねない。

実は2000年以前は160／95㎜Hg以上が高血圧であったものを、基準を引き下げたのである。その結果高血圧と診断された人は激増して、降圧剤の売り上げも激増したのである。おそらく製薬会社と結託して、基準を引き下げたのであろう。ところが、老人は多少血圧が高い人の方が長生きするのである。高血圧と診断されても、自覚症状がなければ、降圧剤を飲む必要がないばかりか、飲めば副作用によってむしろ体の具合が悪くなる。

検査結果は数値で出るので、とりあえずは客観的なデータであるが、それを基に個々人の血圧を、正常あるいは異常と判断することはできない。血圧が160／95㎜Hgでも、本人が何ともなければ、正常なのである。具合の悪さが本人にしか分からない感覚の場合、これを表す客観的な数値は存在しないので、検査数値を見ても役に立たず、自分の体の声を聴くしか術はない。

頭が痛かったり、おなかが痛かったり、だるかったり、高熱が出たりすれば、具合が悪いことは自分ではわかる。この中で体温は数値として出てくるので、客観的なデータである。最近ではパルスオキシメーターと言って、動脈血の酸素飽和度を簡単に測れる装置があるので、これも客観的な数値として出てくる。医者はこれらの数値が異常であれば、病気だと認知してくれるが、頭が痛いんですと訴えても、CTやMRIの画像や血液検査の数値に異常がなければ、取り合ってくれないことが多い。コンピュータとにらめっこして、「おかしいですね。痛いはずはないんですけどね」などと平気で宣う医者もいる。

反対に検査の数値が異常であれば、本人に自覚症状がなくても、治療を勧める医者も多い。私は滅多に血液検査をしないけれど、5年ほど前に、偶々、血液検査を受けたところ、HDLコレステロールが基準最高値の2倍近くあり、医者にびっくりされたことがある。HDLコレステロールはいわゆる善玉コレステロールと言われ、少々高くても問題はないのだが、あまりにも高いものだから、精密検査を受けた方がいいと言われたが、私は別に不具合を感じてなかったので、聞き流して、それから病院には行っていない。

視覚、味覚、痛みのクオリア

繰り返して言うが、検査結果を無闇に信じるより、自分の体の声を聴くことの方が大事だ。医者に話してもどんな痛みかという事を共有することはできない。痛みのクオリア(自分が感じることができる感覚のこと)は、視覚のクオリアと違って、他人と共有することができないのだ。

例えば、体に赤い発疹(ほっしん)ができたとする。自分が見ても医者が見ても、それが赤い発疹であることは分かるので、赤い発疹はとりあえず客観的な現象だ。発疹ができている人は、その部分が痛いか、痒(かゆ)いか、むずむずするか、何でもないかといった感覚ははっきり分かるが、その感覚を他人と共有することは難しい。

人間にとって視覚のクオリアは、指し示すことができるという特別なクオリアなのだ。それに随伴して、例えば色を表す普通名詞が沢山ある。あるいは、様々な形を表す普通名詞も沢山ある。赤とか青とか三角形とかのクオリアは視覚のクオリアなので、指し示すことができる。味覚のクオリアとか嗅覚(きゅうかく)のクオリアとか聴覚のクオリアは指し示すことができない。それでも、味覚のクオリアには、甘味、塩味、辛味、酸味、苦味、渋味といった普通名詞があるので、コトバで伝えることがある程度可能である。

但し、微妙な味に対応する普通名詞はないので、「あん肝」はどんな味、あるいは「海鞘（ほや）」はどんな味と聞かれても、食ったことがない人に説明することはできない。「食ってみりゃわかる」としか言いようがない。味覚よりさらにプリミティブな嗅覚や聴覚は普通名詞がないので、体験しなければ、共通了解は不可能である。さらに痛みのクオリアに至っては、一緒に体験して感じることすらできないので、他人の痛みがどんな痛みかは、本当の所は全く分からない。

「今まで経験したこと」があるか無いかが重要

痛みを数値化したり、視覚化したりすることができる装置が開発されれば（そんな装置は、多分未来永劫（えいごう）できないだろうけれど）、命にかかわる痛みかそうでないかを判定することができるようになるかもしれないが、今のところ、ヤバい痛みかどうかは自分で判断するしかない。その時に頼りになるのは、自分自身の過去の体験である。

一口に腹が痛いと言っても、様々である。ガスが溜まっている痛みとか、下痢の痛みとかは、体験したことがある人なら、大体わかる。ガスも下痢便も出してしまえば、腹痛は治ると予想できる。それ以外にも、経験したことがある痛みで、暫くすれば、治ったという痛みもある。こういうタイプの痛みを感じてもすぐに病院に行く必要はないと思う。病院に行って痛みを訴えれば、様々な検査をしてくれるだろうが、過去に体験して懐かしい痛みの場合は、検査をしても致命的な病気は見つからない方が多い。まあ端的に言って時間とお金の無駄である。医者には、患者が訴える痛みが致命的なものかどうかが分からないのだから、それは仕方がない。病院に行った方がいいのは、今まで経験したことがない痛みとか気持ち悪さを感じた時だ。一通りの検査をして大したことないと言われても、自分でどうもおかしいと思ったら、セカンドオピニオンを求めた方がいい。

何より大切なのは自分の体をよく観察することである。観察は外見を見るというより、体の中の状況を感じることである。それだけで、無闇に病院に行く手間を省ける。血液検査の数値より、自分の体の声を信用した方が、健康で長生きできることは間違いない。

マスクがおしゃれのアイテムになる日

マスクの効能について

前に、一人で自動車を運転していたり、誰もいない道を歩いていたりする時に、マスクをする必要なんてないと書いたが、もしかしたら、マスクをする癖がついてしまったので、マスクをすることが苦にならなくなったのかもしれない。新型コロナウイルスが流行り始めた2020年の初めごろは、専門家は、マスクはほとんど役に立たないと言っていたが、いつの間にか、マスクこそ感染を防ぐ重要なアイテムだと言い出して、真面目な日本人のほとんどは、他人がいるところでは、マスクをするようになった。

確かにマスクは感染者が、咳(せき)をしたりくしゃみをしたり、大声で話したりする際に、口から出る飛沫(ひまつ)を減らす効果はあるけれども、非感染者が感染リスクを減らすのにどれだけ効果があるかは疑問である。ある時点まで厚労省は、飛沫感染と接触感染が主で、エアロゾル感染はほとんどないと言っていたが、デルタ株が猛威を振るうようになって、実は、エアロゾル感染が主で、次に飛沫感染、接触感染はむしろ稀という話になってきた。ましてやオミクロン株は、一説によると、デルタ株の4倍も感染力が強いということなので、まず間違いなく、ほとんどはエアロゾル感染によるものだろう。

主たる感染源がエアロゾル感染ということになるとマスクはN95といった完全防御のもの以外はあまり役に立たない。特にウレタンや布製のマスクは役に立たない。不織布のマスクも隙間がないようにぴったりつけてないとあまり役に立たないかもしれない。床に落ちたウイルスを含む飛沫は、暫くすると少し乾いてエアロゾルという微粒子（0・001μm～100μm）となって空中に3時間ほど留まる。これを吸い込んで起こるのがエアロゾル感染だ。

繁華街やスーパーではほとんどの人がマスクを付けているが、杜撰な付け方をしている人が多く、感染予防の役に立っているとは思われない。とりあえず、付けていれば文句はないだろう、という感じの人も結構沢山いる。女の人の中には、マスクを付けている方が化粧をしなくて済むので、有難いと思っている人がいるみたいで、いざ、マスクを外してもOKということになっても、外したくない人もいるかもしれない。特に、顔の全体の作りには自信はないが、目の美しさには自信があるという人は、このまま、マスクを付けるのが習慣である日々が続いてほしいと思っていることだろう。

マスクと下着は同じくエロティック

最近はコロナ禍のせいで滅多に街に出ることもないが、時々女房のお供で、繁華街のスーパーなどに行くと、美人が増えたような気がする。テレビを見る習慣がない私は、街に出なければ、女の人を沢山見ることがないので、綺麗に見えるようになったのかしらとか、目だけしか見えないので、目元の化粧が上手(うま)い人は綺麗に見えるのかしらとか、思っていたのだが、暫くして、顔を隠しているので、むしろ美人に見えることに気が付いた。

マスクで素顔が見えないので、マスクを取ったら絶世の美人かもしれないと、想像をたくましくして見る。すべてを顕(あら)わにするよりも、適度に隠している方が神秘的なのだ。「夜目、遠目、傘の内」という言葉がある。暗かったり、遠かったり、傘に隠れてよく見えなかったりすると、美人に見えるという格言である。

「マスクしている女性を見るとそそられるね」と私の若い友人は言っていたが、新型コロナが流行り始めた頃、エイズの感染予防や支援活動を行っているイギリスのテレンス・ヒギンズ財団が安全なセックスの方法として、「互いにマスクをして後背位」を推奨していたよ、と話したらニヤニヤしていた。マスクには、確かに下着と同じような、ゾクッとするようなエロティックな側面がある。

私も名を連ねた、『ポストコロナ期を生きるきみたちへ』（内田樹編著、晶文社）と題するアンソロジーがある。鷲田清一（わしだきよかず）は「マスクについて」というここに収録されているエッセイの中で次のように述べている。

「マスクはたしかにそれを装着している人の存在を不明にする。けれどもそこには、消失の不安とともに、人を魅入らせる妖しさもある」

コロナ禍が始まる前、マスクをして銀行に入ると、「お客様、恐れ入りますがマスクを外して下さい」と言われたものだ。顔という本人の認証の消失は、銀行にとってリスク要因と考えられていたのだ。そのままマスクを外さなかったら警察に通報されたかもしれないが、周囲の人にとってマスクは注目の的であり、怪しいと同時に多少の妖（あや）しさも感じたことだろう。

コロナ禍が始まると、話はひっくり返って、マスクをしないで銀行に入ると、「お客様、恐れ入りますがマスクをして下さい」と言われるようになった。マスクは日常になり怪しさは感じられなくなってしまったのだ。マスクをしないのが当たり前の世界からマスクをするのが当たり前の世界に、あっという間に変わってしまった。そこに同調圧力が加わり、その当たり前を当たり前と思わない人はパージされるようになった。

今まで、当たり前だと思っていた世界がひっくり返り、別の当たり前が立ち現れる。当たり前は、その時々の擬制なのだ。それが分かれば同調圧力とは無縁の立ち位置で世界に立ち向かうことができるはずだが、ほとんどの人は何の反省的意識もなく、当たり前は当たり前だと思っているのだろう。一番恐ろしいのは同調圧力という世間かも知れない。

おそらくは当たる私的未来予想

人前では服を着るのが当たり前の世界では、すっぽんぽんで歩いていると、猥褻(わいせつ)物陳列罪で捕まる。イヌに服を着せて散歩させている人たちがいるが、そのうちそれが当たり前になると、服を着せないで散歩させると、猥褻物陳列罪で逮捕されるようになったりしてね。

そもそもなぜ人は服を着るようになったのかしら。ヒトは無毛なので、寒いところで暮らす人は服を着ないと生きていけないというのはよく分かる。服の第一の目的は防寒のためだ。しかし、ほとんど服を着なくても寒くない熱帯地方の人々も服を着けているのが普通である。上野千鶴子（うえのちづこ）に『スカートの下の劇場　ひとはどうしてパンティにこだわるのか』（河出文庫）と題する著書があるが、この本の冒頭の話はニューギニア高地人の男性のペニスケースにまつわるものだ。

ニューギニアの高地人は特別なヒョウタンを用いてペニスケースを作り、それでペニスを覆って、腰ひもで固定し、その姿で戦いもすれば仕事も遊びもするという。ペニスケースは機能的にはほとんど何の役にも立たないが、ペニスを隠すことによってそれを誇示するために付けるのだ、というのが上野の意見である。上野は性器を覆う下着と、服一般は異なるカテゴリーに属すると主張しているが、私は隠すことによって、隠されたものを際立たせ、時には神秘的に見せるという点において、下着も服も究極的には同じカテゴリーに属すると思う。

ヒトの裸の皮膚は程度の差こそあれ、すべて性的なものだ。外性器や乳房ばかりでなく、お尻も背中も太ももすべて性的だ。人々は、それを隠すふりをしてむしろ際立だせるために、レースのパンティや花柄のブラジャー、ミニスカートや真っ赤な口紅などを、身に纏（まと）う。

新型コロナの流行はいつ収まるか厳密には分からないが、今のところは日本も含めて世界はすべてオミクロン株に席巻されている。ワクチン会社の利権なのだろうか、ワクチン打て打てと五月蠅いが、オミクロン株は弱毒性で、ワクチン打とうが打つまいが、あと1年もすれば、終息すると思う。あのスペイン風邪でも3年で終息して、今は季節性のインフルエンザの一種になって存続している。新型コロナウイルスも、そのうち5番目の普通の風邪のコロナウイルスになって人間と共存していくようになるに違いない。

そこで、問題は、そうなったとして、人々は一斉にマスクを外すのだろうかということだ。もちろん私は、マスクは鬱陶しいから外すけれども、一部の人たち、とりわけ、一群の女性たちはマスクを外さないかもしれない。以前であれば、マスクを付けて接客するのは失礼であるといった風潮があったけれども、コロナ禍が収まっても、もはやそういう世界には戻らないだろう。

多くの女の人にとって、私的空間以外では素顔は化粧で隠すのがエチケットであったのが、化粧の代わりにマスクで隠した方が、素敵だと思う女性が相当数現れると思う。こうなるとマスクは感染予防とも無関係なアクセサリーのようになってくるに違いない。

素材も、形も様々なマスクが現れてくる。口と鼻の部分だけ開いている方が苦しくないので、そういうタイプのマスクも現れてくるだろう。耳に掛ける紐はダサいので、もっとエレガントな方法が開発されるに違いない。サングラスよりも形の自由度は高いので、デザイナーの腕の見せどころとなり、市場規模も膨らんで、経済に影響を与えるまでになる。絵空事だと思っている人もいらっしゃるでしょうが、この予想は多分当たると思う。まあ、当たらなくても責任はとらねえけどね。

本書はメールマガジン「池田清彦のやせ我慢日記」
２０２１年１月22日～２０２２年４月８日配信分か
ら抜粋・再構成のうえ、加筆・編集したものです。

池田清彦（いけだ・きよひこ）
1947年、東京生まれ。生物学者。早稲田大学名誉教授。構造主義生物学の立場から科学論・社会評論等の執筆も行う。カミキリムシの収集家としても知られる。著書は『ナマケモノに意義がある』『ほんとうの環境白書』『不思議な生き物』『オスは生きてるムダなのか』『生物にとって時間とは何か』『初歩から学ぶ生物学』『そこは自分で考えてくれ』『やがて消えゆく我が身なら』『真面目に生きると損をする』『正直者ばかりバカを見る』『いい加減くらいが丁度いい』『本当のことを言ってはいけない』『どうせ死ぬから言わせてもらおう』『生物学ものしり帖』など多数。

バカにつける薬（くすり）はない

池田清彦（いけだきよひこ）

2022 年 11 月 10 日　初版発行
2022 年 12 月 10 日　再版発行

◇◇◇

発行者　山下直久
発　行　株式会社KADOKAWA
〒102-8177　東京都千代田区富士見 2-13-3
電話　0570-002-301（ナビダイヤル）

装 丁 者　緒方修一（ラーフイン・ワークショップ）
ロゴデザイン　good design company
オビデザイン　Zapp!　白金正之
印 刷 所　株式会社暁印刷
製 本 所　本間製本株式会社

角川新書

ISBN978-4-04-082460-4 C0295